오빠는 하우스보이

오빠는 하우스보이

안선모 지음

이오앤북스

| 차 례 |

ASCOM
CITY

| 작가의 말 |

과거 속으로 떠나는 여행

이 글을 읽는 독자 여러분, 혹시 책 제목에 있는 '하우스보이'라는 말 들어 본 적 있나요? 처음 들어 보는 사람도 있을 것이고, 어디선가 들어 본 사람도 있을 겁니다.

강원도 철원에서 공산당을 피해 이곳 부평에 정착한 아버지는 먹고살기 위해 하우스보이 생활을 했어요. 하우스보이를 사전에서 찾아보면 '사삿집(개인이 살림하는 집)이나 군부대 따위에서 허드렛일을 하는 남자아이'라고 되어 있네요. 잠깐의 하우스보이 생활을 청산하고서 아버지는 고생 끝에 미군 부대에서 비행기를 고치는 기술자가 되었지요.

“아버지, 하우스보이 이야기해 주세요.”

제가 조르면 아버지는 고개를 저으며 입을 꾹 다물었어요.

‘왜 아버지는 자신이 하우스보이였던 것을 부끄럽게 여기는 거지?’

그건 아마도 이 땅에 들어와 주인처럼 군림했던 미군들의 뒷바라지를 했다는 사실 때문 아닐까요? 자존심 강한 아버지로서는 충분히 그럴 수 있다고 생각해요.

이제는 구십을 훌쩍 넘은 아버지를 보면서 한 소년이 떠올랐어요. 가난했지만 비굴하지 않았고 자신의 미래를 개척할 줄 알았던 소년. 그렇게 이 책 ‘오빠는 하우스보이’가 탄생했답니다. 이 책의 시간적 배경은 1960년대이고, 공간적 배경은 일제 강점기 때 조선 최대 군수 공장이 있던 부평 조병창 자리와 그 일대입니다.

1960년대. 생각해 보니 까마득한 옛날이네요.

“근데 왜 오래된 이야기를 알아야 할까요? 다 지난 일인데.” 이렇게 말할 사람도 있을 거예요. 하지만 과거가 있어야 현재가 있고 또 미래가 있잖아요. 우리가 역사를 배워야 하는 이유와 똑같습니다.

1960년대 부평에는 미군들이 거리를 활보하고 있었죠. 해방이 되자 조선 최대 군수 공장 조병창이 들어서 있던 너른 땅에 미군 기지 ASCOM(Army Support Command)이 들어섰기 때문이었어요. 그 안에는 7개의 미군 보급품 기지가 자리 잡고 있었습니다. 그 땅의 주인은 우리인데, 우리는 아무런 권리 행사도 하지 못한 채 이방인들의 손에 쥐락펴락 살아가고 있었던 겁니다.

생각해 보면 참 속상하고 억울하네요. 우리 땅이지만 오랜 세월 동안 우리 땅이 아니었던 백만 평의 너른 평야. 그곳이 이제야 우리 손에 들어와 새로운 모습으로 단장을 하는 중이라고 해요.

이 책에서 저는 가난하고 부족하지만 꿈을 향해 나아가는 아이들의 모습을 그리고 싶었어요. 호기심 많은 선기의 성장과 더불어 공부를 포기하고 하우스보이의 길로 들어섰지만, 자존감을 잃지 않았던 오빠 웅기의 모습도 그리고 싶었어요. 하루하루 끼니 걱정하기 바빴던 형편 속에서도 꿋꿋이 살아온 가족과 이웃들이 있었기에 지금의 대한민국이 존재하는 것이라는 것을 알리고 싶기도 했고요.

자 그럼, 1960년대로 시간 여행을 떠나 볼까요? 개성 있고 특별한 인물들을 만나 그들과 함께 웃고 울면서 함께 공감대를 형성해 보아요. 알찬 여행이 되리라 믿어요.

2024년 특별한 봄날에 안선모

밤솔산

눈을 뜨자마자 밖으로 나왔다. 푹 꺼진 부엌에서 아궁이 불을 살피던 엄마가 나를 힐끗 보았다.

"발에 바퀴가 달렸나? 아침부터 또 어딜 가는 게야?"

못 들은 척 밤솔산을 향해 달려갔다. 낮은 산이지만 밤솔산 꼭대기에 오르면 내가 가 보지 못한 세상을 볼 수 있다. 가장 먼저 남쪽 산들을 바라본다. 길게 이어진 높은 산들이 한눈에 들어온다. 6월로 접어들면서 송홧가루의 기세가 꺾였기 때문이다.

'저 산 너머에도 사람들이 살고 있을까?'

이번에는 동쪽 줄집마을로 눈을 돌린다. 기다란 직사각형 집들이 차려 자세로 서 있다. 모두 열여섯 동이나 된다. 원래 이름은 미쓰비시 줄사택이다. 일제 강점기 때 일본 기업 미쓰비시 제강에 다니던 사람들이 살던 집이라서 그렇게 부른다. 아이들은 간단하게 줄집이라고 부른다. 한 동의 줄집에는 모두 열 집이 살고 있고 앞에서부터 1호, 2호 이렇게 부른다. 줄집마을 입구에 있는 1동 줄집, 두 번째 집 2호집이 바로 우리 집이다.

마지막으로 북쪽 철로 건너편을 바라본다. 그곳에는 끝이 보이지 않을 정도로 어마어마하게 넓은 미군 기지가 들어앉아 있다. 사람들은 그곳을 애스컴이라고 부른다. 애스컴은 휴전선 부근에 있는 미군 부대에 전쟁 물자와 식량을 보급하기 위해서 만든 미군 기지이다. 그 안에는 여러 개의 보급 창고가 있다. 일제 강점기에는 그 자리에 일본 조병창이 있었다고 한다. 우리나라가 해방되자 넓은 조병창 부지에 애스컴이 들어섰다. 철로 건너에는 큰 마을이 두 개 있다. 하나는 애스컴 건너편에 있는 새촌마을이고 또 하나는 애스컴 바로 옆에 있는 다다구미마을이다.

'언제쯤 두 마을에 가 볼 수 있을까? 신기한 물건들이 엄청나게 많다는데.'

밤솔산을 내려왔다. 집 앞에서 소쿠리를 머리에 인 엄마와 딱 마주쳤다. 깡시장에서 주워 온 배춧잎이 소쿠리 밖으로 삐져나와 축축 늘어졌다. 마치 배추로 만든 커다란 모자를 쓴 것 같다.

"웅기야, 공일(일요일)이라고 게으름 피울 생각 말고 얼른 움직여라. 빨래부터 밖에 널고."

엄마의 목소리에 작은오빠가 후닥닥 뛰어나왔다. 송홧가루를 피해 집 안으로 들어간 빨래 뭉치가 두 손에 들려 있다. 덩치 큰 작은오빠가 빨래를 들고 있는 게 웃겨서 키득키득 웃었다. 작은오빠가 주먹을 들어 때리는 시늉을 했다. 작은오빠는 남자인데도 엄마를 도와 집안일을 많이 한다. 엄마는 큰오빠에게는 아무 일도 시키지 않는다. 큰오빠는 옛날부터 늘 책상 앞에 앉아 있었는데 중학교에 올라간 다음부터는 완전 책상 귀신이 되었다. 아는 것도 많아서 내가 어떤 질문을 해도 척척 대답해 준다.

엄마가 잰걸음으로 수돗가로 향했다. 나는 그 뒤를 쪼르르 따라갔다.

공동
수돗가

공동 수돗가는 아침 준비를 하려는 아주머니들로 복작거렸다. 다른 마을은 마당 안까지 수도가 들어왔지만, 줄집마을은 열 집이 공동으로 이용한다. 아주머니들이 끼니 준비를 하는 이른 아침과 저녁때는 들어설 틈이 없을 정도다. 하지만 그 시간을 빼고는 한가한 편이다. 집집마다 세수할 물이나 먹는 물은 미리 받아 놓기 때문이다.

"어제 샛별극장에는 왜 간 거야? 영화 보러 간 거였어?"

목청 큰 8호집 아주머니의 목소리에 나는 얼른 아주머니들 틈새에 자리를 잡았다.

'영화? 커다란 화면 속에서 사람이 나와 막 움직이고 그런다던데.'

큰오빠 말에 의하면 처음의 영화는 소리가 안 났지만 지금은 소리까지 난다고 했다. 커다란 화면에서 사람이 움직이고 소리까지 나다니! 나는 한 마디도 놓치기 싫어 두 귀를 활짝 열었다.

"영화는 무슨!"

"영화 보러 간 게 아니었어? 그렇다면 샛별극장에는 뭣 때문에 간 거야?"

8호집 아주머니가 3호집 아주머니를 채근하며 팔뚝을 툭 쳤다. 그 바람에 바가지 안에 있던 물이 출렁이며 보리쌀이 쏟아졌다.

"아, 아까운 보리쌀."

3호집 아주머니가 떨어진 쌀을 두 손으로 주워 담았다.

"아이고, 돼지댁 성질 급한 건 알아줘야 해."

누군가의 말에 8호집 아주머니가 입을 내밀며 말했다.

"돼지댁이라고 부르지 말랬지? 누가 그런 별명을 만들었는지 모르지만 잡히기만 해 봐!"

성격이 괄괄한 아주머니가 주먹을 들어 공중에서 휘둘렀다. 말은 저렇게 거칠게 해도 8호집 아주머니가 어떤 사람인지 나는 알고 있다. 줄집 아주머니들 중에서 가장 인심 좋고 정이 많은 아주머니다. 8호집에 놀러 갈 때마다 아주머니는 공짜로 꿀꿀이죽을 주었다. 꿀꿀이죽은 어른이나 아이나 먹고 싶어 하는 음식이다. 하지만 우리 집은 꿀꿀이죽을 한 번도 사 먹은 적이 없다. 아버지는 꿀꿀이죽이 돼지나 먹는 음식이라면서 절대로 사 먹으면 안 된다고 했다. 하지만 나는 안다. 그래서 그런 게 아니고 돈이 없어서라는 걸. 돈만 있으면 나는 날마다 꿀꿀이죽을 사 먹을 것이다. 꿀꿀이죽은 천국의 맛이니까. 달콤하면서도 새콤한 맛에 운 좋으면 보들보들 부드러운 고기 건더기도 먹을 수 있다. 8호집 아주머니의 별명을 지은 건 바로 나다. 왜냐하면 돼지는 꿀꿀 소리 내고, 아주머니는 미군 부대에서 나오는 꿀꿀이죽을 파니까 딱 맞는 별명 아닌가.

"아이고, 말도 마세요. 사람들이 어찌나 많이 모였는지 밀고 밀리고 그러는 통에 하마터면 깔려 죽는 줄 알았다니까요."

"무슨 대회가 열렸다는 말이 있던데?"

누군가의 말에 3호집 아주머니가 자세하게 말했다.

"한미 친선 계몽 강연이라나 뭐라나? 기범이 아버지가 줄집 대표로 간 건데 미군들도 온다니까 무슨 기념품이라도 받을까 해서 쫓아갔지요."

"그래? 그런데 기범이 아버지가 언제부터 줄집 대표가 됐지?"

8호집 아주머니가 눈을 동그랗게 뜨고 물었다.

"아, 그건 말이에요. 기범이 아버지가 학교를 다녔잖아요."

3호집 아주머니가 자랑스러운 듯 대답했다. 그러자 8호집 아주머니가 고개를 갸우뚱하며 말했다.

"학교 다녔던 거로 대표가 되는 거라면 선기 아버지가 돼야 하는 거 아닌가? 선기 아버지는 함흥 철도학교를 졸업했으니까 말이야."

8호집 아주머니의 말 속에 내 이름이 나오고 아버지 얘기가 나오자 나는 깜짝 놀라 엄마를 바라보았다. 엄마가 볼멘소리로 대답했다.

"선기 아버지가 무슨 줄집 대표를 해요? 사람을 만나면 안 되는 병에 걸렸는데."

그렇다. 아버지는 폐병에 걸려 우리랑 같이 밥을 먹어도 안 되고 같은 물건을 써도 안 돼서 칸막이를 하고 지낸다. 아버지가 폐병에 걸렸다는 게 알려지자 줄집 사람들은 그저 잘 먹고 잘 쉬면 나을 수 있다며 위로하면서 한편으로는 돈 버는 사람은 한 명도 없고 한창 공부하고 자라는 아이들이 넷이나 되니 앞으로 어떻게 살 것인가 걱정스러운 눈빛으로 바라보았다.

엄마의 말에 수돗가에 모인 아주머니들이 입을 꾹 다물었다. 분위기를 바꾸려는 듯 8호집 아주머니가 3호집 아주머니를 채근했다.

"그건 그렇고 아까 하려던 얘기나 계속해 봐."

3호집 아주머니가 다시 이야기를 이어 나갔다.

"한미 친선이라나 뭐라나. 기범이 아부지 말로는 그 얘기가 오늘 아침 신문 기사에도 나왔대요. 신문에는 9백 명이 모였다고 했다는데 내 눈에는 천 명이 넘는 것 같았어요. 우리나라를 도와주러 온 미군에게 고마운 마음을 갖고 아무쪼록 잘 지내야 한다는 얘기였어요."

"아이고야. 한미 친선은 무슨 개뿔. 조병창 자리에 애스캄인지 뭔지가 들어와서 그 노린내 나는 미군들이 온갖 범죄를 저지른다는데 말이야. 철조망 기웃댔다고 어린아이들에게 총을 쏴서 다리 병신을 만들어 놓질 않나, 함께 살던 여자를 개 패듯 패질 않나. 아무리 우리에게 도움을 주려고 왔다고 해도 자기들이 이 나라 주인은 아니지 않아? 미군에 대한 감정이 점점 나빠지니까 눈 가리고 아웅 하듯 한미 친선 행사를 벌이는 거겠지."

누군가가 거칠게 말했다.

"그래도 미군이 들어와서 나쁜 일만 있는 건 아니죠. 좋은 일도 꽤 많아요. 희한한 물건들도 많이 들어오고, 일자리도 많아졌잖아요. 경제를 생각하면 미군이 우리나라에 도움을 주고 있는 것은 분명해요."

3호집 아주머니가 말했다. 그러자 이어서 7호집 새댁이 수줍게 입을 열었다.

"애스컴에서 나온 물건들이 어찌나 좋은지 다들 사고 싶어 안달이 났어요. 우리가 그런 물건들을 어디서 볼 수 있겠어요?"

애스컴에서 자동차 정비 일을 하는 7호집 아저씨는 퇴근할 때마다 미군이 쓰고 버린 비누나 면도기 등을 주워 온다. 그러면 그 물건들을 7호집 새댁이 파는데 순식간에 다 팔려 나간다고 한다.

"세상에! 미국이라는 나라는 얼마나 부자이기에 그 좋은 물건들을 한 번 쓰고 버릴까?"

몇몇 아주머니들이 부러운 듯 말했다.

나는 땅바닥에 큰 집 하나를 그리고 〈샛별극장〉이라고 썼다. 그리고 1자를 쓰고 동그라미 세 개를 그렸다. 사람이 천 명이나 들어갈 수 있는 샛별극장은 정말 크구나! 그런 생각을 하면서.

"아이고, 선기야! 학교도 안 들어간 아이가 어떻게 글자를 알고 숫자를 아는 거니?"

은자 언니 목소리였다. 나는 발딱 일어나 언니를 향해 환하게 웃었다.

사랑방 손님과 어머니

"은자 왔구나. 아침쌀은 있고?"

8호집 아주머니가 반갑게 맞이했다. 은자 언니가 대답 대신 쌀이 들어 있는 바가지를 보여 주었다. 누르죽죽한 보리쌀이 아니고 반드르르 윤이 나는 하얀 쌀이다.

"네 아비가 엊저녁에 모처럼 땄나 보구나. 언제쯤 정신 차리고 노름에서 손을 뗄까."

8호집 아주머니의 걱정스러운 말투에 엄마가 작게 중얼거렸다.

"한심한 남정네 같으니라고. 애들이 무슨 죄야."

그러면서 엄마는 서둘러 배춧잎을 소쿠리에 담기 시작했다.

"은자야, 배춧국 한 솥 끓이면 웅기 시켜서 보내 주마."

엄마뿐 아니라 다른 아주머니들도 은자네 집에 가끔 반찬이나 국을 보내 준다. 5학년인 은자 언니는 밥은 제법 할 줄 알지만 반찬은 잘 못하기 때문이다.

"고맙습니다. 배춧국은 아버지도 좋아하고 은석이도 잘 먹어요. 은석이가 배고프다고 칭얼대니 빨리 가서 밥을 안쳐야겠어요."

은자 언니가 아주머니들에게 고개 숙여 인사하고는 서둘러 집으로 향했다. 은자 언니 뒷모습을 보며 나는 아쉬운 듯 중얼거렸다.

"언니네 엄마가 빨리 돌아왔으면 좋겠다. 그러면 언니가 밥하느라 고생하지 않아도 되잖아. 그리고 또 나랑 오래 놀 수도 있고."

밥할 때마다 석탄에 불을 붙이느라 실랑이를 벌이는 언니 모습이 떠올랐다. 5학년이 석탄에 불을 붙이는 건 아무래도 무리인 것 같다. 무슨 일이든지 척척 잘하는 작은오빠도 석탄에 불을 붙이는 건 어렵다고 했다.

"은자네가 좀 편해져야 할 텐데."

8호집 아주머니의 말에 나는 두 손 모아 중얼중얼 기도했다.

"하느님, 부처님, 알라신이여! 은자 언니 아부지 빨리 정신 차리게 하시고, 은자 언니 엄마 빨리 돌아오게 해 주세요. 그래야 은자 언니와 은석이가 편해진답니다."

내 모습을 본 아주머니들이 배꼽을 잡고 웃었다. 살짝 당황한 듯 엄마 얼굴이 빨개졌다.

"강연 끝나면 〈사랑방 손님과 어머니〉 좀 보여 주려나 했더니 그냥 가라고 하더라고요."

3호집 아주머니가 아쉬운 듯 말했다.

"근데 그 영화가 그리도 재미있다며? 누구 본 사람 있어?"

8호집 아주머니의 말에 옆집 새댁이 얼마 전에 아저씨와 함께 그 영화를 보고 왔다고 했다.

"작년에 개봉한 영환데 여기는 이제야 들어온 거래요."

은자 언니가 어떻게 밥을 하고 있나 궁금했지만 나는 그냥 주저앉았다. 7호집 새댁의 이야기를 놓칠 수 없었다.

"그 영화 언제까지 하나? 우리가 영화 볼 팔자는 아니지만."

아주머니들이 잠시 손을 멈추고 하늘을 바라보았다. 송홧가루 걷힌 하늘은 맑았고 동동 구름까지 한가로이 떠다녔다.

"우리도 언젠가 갈 날이 있겠지요!"

엄마의 목소리에 나는 깜짝 놀랐다. 엄마도 영화를 보고 싶어 하는구나. 엄마는 영화 같은 것에는 아무 관심도 없는 줄 알았는데.

"엄마! 내가 커서 돈 벌면 한 달에 한 번 꼭 영화 구경시켜 줄게요."

내 말에 엄마의 얼굴이 발그레해졌다.

"배우들의 연기가 최고였어요. 특히 그 아역배우는……."

7호집 새댁이 꿈꾸는 듯 눈을 감았다. 곧이어 마법의 이야깃주머니가 열릴 것이다. 나는 침을 꼴깍 삼키고 새댁의 입을 바라보았다.

"다른 아이들은 모두 꿈나라에 가 있는 시각인데 선기, 얘는 아침잠도 없나 봐."

새댁이 귀엽다는 듯 나를 바라보았다.

"옥희라는 여섯 살 아이가 과부가 된 엄마와 살고 있는데 어느 날 사랑방에 한 남자가 세 들어 살게 된 거예요."

모두 손은 바쁘게 움직이면서도 귀는 쫑긋 열려 있다. 나는 두 손을 턱에 괴고 앉아 눈을 감았다. 그렇게 하면 상상의 나라로 훌쩍 날아갈 수 있다. 나는 어느새 옥희가 되어 있었다. 멋진 기와집에서 예쁜 옷을 입고 집안일을 도와주는 아줌마가 차려 주는 밥을 먹는다. 고운 한복을 입은 엄마는 사분사분 상냥하게 말을 한다. 옥희에게 아버지가 없는 게 좀 아쉬웠지만 옥희가 되어보는 건 기분 좋은 일이다.

이야기가 절정에 다다라 사랑방 손님이 떠난다는 말에 나는 눈을 번쩍 떴다. 뭔지 아쉬웠다. 나만 그런 게 아니었는지 아주머니들도 실망한 얼굴로 낮은 한숨을 내뱉었다.

"사랑방 손님과 잘되기를 바랐는데……."

누군가의 말에 모두 고개를 끄덕였다.

"사랑방 손님과 이루어지지 않은 건 잘 된 거예요. 인물만 좋지, 정작 그 손님에 대해 아는 게 없잖아요."

마지막 배춧잎을 소쿠리에 담고 있던 엄마가 툭 한마디 했다. 이제 서른을 조금 넘긴 엄마는 마흔을 훌쩍 넘긴 8호집 아주머니보다 더 늙어 보였다.

"그려그려. 철원댁 말이 백 번 맞아. 남자가 인물만 좋으면 뭐 하겠어?"

8호집 아주머니가 시원하게 웃으며 말했다.

"근데 말이야. 아무리 봐도 철원댁하고 선기는 닮은 데가 하나도 없어. 선기는 눈도 크고 쌍까풀도 있고 코도 오뚝하고 입술도 앵두 같은데……."

엄마가 무덤덤하게 대답했다.

"지 아버지를 빼닮았으니까 그렇지요."

"아무리 그래도 그렇지. 철원댁 배 속에서 나왔는데 어떻게 철원댁 하고는 닮은 데가 하나도 없느냐 그 소리지. 혹시……."

내가 있어서 그런지 8호집 아주머니는 뒷말을 흐렸다. 나는 뒷말이 무슨 소린지 다 알고 있다. 높은 지위에 있거나 돈이 좀 있는 남자들은 딴살림을 차리는 경우가 많았다. 다다구미에 사는 큰아버지도 딴 여자와 살림을 차린 적이 있다. 우리가 사는 줄집 말고 다른 동 줄집에는 미군과 살림을 차린 젊은 여자들도 있고 부인이 있는 남자와 살림을 차린 여자들도 있다. 엄마는 우리가 사는 1동 줄집에 그런 사람들이 없어 다행이라고 했다. 애들 교육에 안 좋다면서.

"선기 아버지가 돈이 있어요, 건강이 있어요? 무슨 배짱으로 딴살림을 차리겠어요?"

엄마의 단호한 말에 8호집 아주머니가 슬금슬금 눈치를 봤다. 엄마의 목소리가 저렇게 나올 때면 넉살 좋은 8호집 아주머니를 비롯해 온 줄집 아주머니들이 긴장한다. 평소에는 말도 없고 얌전하지만 할 말은 꼭 하기 때문이다.

"철원댁 오해하지 마. 선기가 뛰어나게 예쁘니까 하는 말이지."

아주머니들이 너도나도 한마디씩 했다.

"영화에 나오는 옥희보다 선기가 훨씬 더 예쁠걸?"

"맞아, 맞아. 선기는 이담에 배우 하면 되겠어."

"그렇지, 선기야? 너도 배우 되고 싶지?"

나는 벌떡 일어나 아주머니들을 향해 외쳤다.

"배우는 되기 싫어요! 내 생각대로 내 마음대로 이야기를 만드는 사람이 될 거예요. 사람들이 읽으면 눈물도 나고, 웃음도 나고, 가슴이 뭉클해지고, 행복해지는 그런 이야기를 만들 거라고요!"

아주머니들이 입을 쩍 벌린 채 단발머리에 깡동치마를 입은 나를 바라보았다.

“너, 일곱 살 맞아? 선기 너는 줄집마을에서 아니, 우리나라에서 제일 똘방똘방할 거야.”

“철원댁은 복도 많지.”

엄마가 끙차, 소리를 내며 소쿠리를 머리에 얹었다. 올 때와는 반대로 배춧잎들이 모두 살아서 하늘로 쭉쭉 뻗었다.

다다구미마을

여름과 가을 내내 깡시장에서 주워 온 배추로 끓인 국이 상에 올라왔다. 작은오빠는 밥상 앞에만 앉으면 싱글벙글 웃으며 말한다.

"이러다 우리 모두 배추벌레 되는 거 아냐?"

그러면서 작은오빠는 배춧국을 두 사발이나 먹는다. 세 사발도 먹을 수 있지만 다른 식구들을 위해 참는 것이다. 작은오빠는 태어날 때부터 덩치가 크고 뱃구레가 크기 때문에 남들보다 두 배 이상은 먹어야 한다. 그리고 엄마를 도와 우리 집 자질구레한 일을 도맡아서 하니까 배가 금방 꺼질지도 모른다. 그래서 나는 내 몫의 국을 작은오빠 자리로 쓱 밀어주곤 했다. 그때마다 작은오빠는 변명하듯 말했었다.

“학교가 너무 멀어서 그래. 가다 보면 배가 다 꺼져버리거든.”

그런데 이제 그 핑계는 댈 수 없게 되었다. 예전에는 철로를 건너 다다구미마을을 지나 조금 더 걸어가야 학교가 나왔는데 지금은 줄집마을에서 그리 멀리 떨어져 있지 않은 나카마치 거리 뒤쪽에 학교가 새로 생겼다. 작은오빠는 이쪽 학교로 전학을 왔다. 이제 학교는 뛰어가면 10분도 안 걸리는 곳에 있다.

작년까지 작은오빠를 비롯한 줄집마을 아이들은 철로를 건너 학교에 다녀야 했다. 건널목이 하나 있기는 하지만 너무 멀어서 어른들이나 애들이나 그냥 철로를 건넌다. 기차는 가뭄에 콩 나듯이 듬성듬성 지나간다. 그런데도 그 기차에 치여 죽은 사람들이 있다. 학교에 가고 오느라 줄집 아이들은 하루에 두 번 철로를 건너지만 기차에 치여 죽은 아이는 한 명도 없다.

2월이 반이나 지났는데도 추위는 여전했다. 겨울은 줄집마을 사람들에게 가장 힘든 계절이다. 줄집은 나무로 만든 허름한 가옥인 데다 온돌이 아닌 다다미방이기 때문이다. 아궁이가 있기는 하지만 그건 밥을 하거나 국을 끓이는 용도로 사용하므로 아랫목 쪽만 미지근하다. 다른 집은 보통 아버지들이 아랫목을 차지하는데 우리 집은 막내 차지다. 아버지는 혹시라도 가족들에게 결핵

균이 옮길까 봐 윗방에서 철저히 격리 생활을 하고 있다. 집안이 너무 추워서 햇빛 쨍쨍한 날에는 밖에 있는 게 나을 때도 있다.

"야호! 조금 있으면 학교에 간다!"

나는 신이 나서 줄집마을을 돌아다니며 외쳤다. 나랑 동갑인 은석이와 미옥이, 화선이가 나를 째려보았다.

"학교 가는 게 뭐가 좋다고!"

"학교 가면 맨날 숙제해야 하는 거 몰라?"

"잘못하면 손바닥도 맞고 종아리도 맞는대."

내가 혀를 메롱 내밀며 말했다.

"그러면 내가 교장 선생님에게 말해 줄까? 너희들 세 명은 학교 안 다닐 거라고!"

그러자 세 아이가 홱 돌아서서 각자 집으로 뛰어갔다. 나도 홱 돌아서서 집으로 들어왔다. 집에 들어와 달력을 뚫어지게 바라보았다. 입학식이 있는 3월은 이제 며칠 안 남았다. 그런 내 모습에 엄마가 생각난 듯 이마를 탁 쳤다.

"아 참! 내 정신 좀 봐라. 웅기야, 다다구미 큰집에 다녀와라. 큰어머니가 네 육성회비와 선기 가방 준비해 놓았다고 하셨는데 깜빡했다."

다다구미마을은 철로 건너 애스컴 바로 옆에 있는 마을이다. 한 번도 가 본 적은 없지만 일제 강점기 때 일본 사람들이 모여 살았던 마을이었다고 한다.

"다다구미마을에 있는 집들은 시멘트로 지어 단단하고 넓어. 여기 우리 마을보다는 훨씬 잘 사는 곳이야. 미군 부대가 가까워서 미군들도 자주 볼 수 있어."

작은오빠는 예전 학교에 다닐 때 있었던 일을 실감나게 들려주었다.

"어느 날, 다다구미 골목에서 얼굴이 까만 미군과 딱 마주쳤어. 순간 화들짝 놀랐지. 그런데 그 미군이 활짝 웃으며 초콜릿을 주는 거 있지? 나는 달라고 소리도 안 했는데 말이야."

"진짜로 먼저 달라고 그런 거 아니지?"

내 말에 작은오빠가 고개를 끄덕였다. 미군을 만났다 하면 아이들은 "기브 미 초콜릿, 기브 미 껌." 하고 말하는 게 유행이다. 그러면 미군들이 초콜릿과 껌을 마구 던져 준다고 했다. 아버지는 절대로 그런 말을 하면 안 된다고 했다. 그건 거지들이나 하는 소리라면서. 내가 생각해도 그건 아버지 말이 맞는 것 같다. 왜 잘 모르는 미군을 만났는데 무조건 달라고 하는지 내가 생각해도 그건 아닌 것 같다.

"오빠, 그래서 뭐라고 그랬어? 초콜릿 받고 나서 뭐라고 했냐고?"

"너무 놀라서 아무 말도 못 했어."

“이런! 초콜릿을 받았으니까 ‘땡큐’ 하고 영어로 말해야지.”

나는 큰오빠가 영어 공부할 때 옆에서 주워들은 말을 작은오빠에게 해 주었다. 나는 미군을 만나면 깜짝 놀라지도 않고 당당하게 ‘헬로’ 하고 인사를 할 것이다. 그리고 내가 달라고 하지 않았는데도 초콜릿이나 껌을 주면, 공손하게 두 손으로 받고 ‘땡큐’ 하고 말할 것이다. 그런데 나는 언제쯤 미군을 만날 수 있지?

다다구미마을에 있는 큰집에 가는 일은 작은오빠 담당이다. 작은오빠는 우리 집 심부름꾼이다. 큰오빠는 공부를 해야 하고, 아버지는 몸이 약하니까 남자들이 할 일은 거의 작은오빠가 한다. 다행인 것은 작은오빠가 몸집이 우람하고 힘이 세다는 것이다. 작은오빠를 도와주고는 싶지만 나는 작은오빠보다 다섯 살이나 어린 데다 튼튼하지 못해 그럴 수가 없다.

엄마가 안심이 안 되는지 작은오빠를 다그쳤다.

“큰어머니가 주는 거 공손하게 두 손으로 받고. 응? 알았어?”

“근데 그거 언제까지 받으러 가야 해요? 큰어머니가 얼마나 불퉁스럽게 대하는데요.”

“큰아버지가 네 형과 너는 고등학교 졸업까지 학비 대주신다고 했으니 군소리하지 말고 다녀와.”

제사가 있을 때면 남자들만 다녀오는 곳이 바로 큰집이다. 몇 년째 아버지는 못 가고 큰오빠와 작은오빠만 다녀왔다. 다녀올 때마다 작은오빠는 투덜거렸다.

"제사상에 올린 통닭 먹을 생각에 부풀어 있었는데 이상하게 제사가 끝나고 나면 흔적도 없이 사라진단 말이야. 통닭뿐만이 아니야. 먹고 싶었던 약과나 사탕도 감쪽같이 사라져."

작은오빠 말을 들으면서 나도 그게 궁금했다. 제사 지내고 큰엄마는 음식 몇 가지를 싸 보내곤 했는데 거기에 통닭이나 약과와 사탕은 없었다. 배추전과 나물 몇 가지가 들어 있을 뿐이었다.

"닭고기 먹고 싶다."

내 말에 작은오빠가 말했다.

"선기, 너는 고기 좀 먹어 줘야 하는데. 너무 비리비리해서 막내 정기에게도 꼼짝 못 하잖아."

두 살 아래 동생에게 지는 언니라는 것이 조금 창피했다.

"내가 돈 벌어서 고기 많이 사 줄게."

"말만이라도 고마워."

내 말에 작은오빠가 두 주먹을 불끈 쥐었다.

"말만이라니! 나는 말만 하는 사람이 아냐! 두고 봐. 내가 한 말은 꼭 지킬 테니."

"에이, 오빠가 어떻게 돈을 벌어?"

아랫목에서 뒹굴뒹굴하던 막내 정기가 툭 한마디 했다.

"미군들 집에서 일하는 아이들을 부르는 말이 있던데?"

작은오빠가 잘 생각이 안 난다는 듯 머리를 긁적였다.

“아! 하우스뽀이! 맞다, 하우스뽀이!”

“미군들 집에서 일하려면 영어 잘해야 하는 것 아냐? 오빠는 영어 못하잖아!”

내가 톡 나섰다.

“옆집 아저씨는 영어 못해도 미군 부대에서 일하잖아!”

작은오빠가 볼멘소리로 말했다.

“두고 봐. 오빠가 돈 많이 벌어서 선기 정기 너희 둘 다 대학교까지 보낼 거니까.”

그러면서 작은오빠는 계속 투덜거렸다.

“그런데 큰어머니는 왜 우리 집에 한 번도 안 오시는 거지? 학비를 대주는 건 고마운데 꼭 이렇게 받으러 가야 하는 거야? 한 달에 한 번 다다구미마을에 가는 게 꼭 죽으러 가는 것 같아.”

엄마가 작은오빠의 등짝을 세게 때렸다.

“받아 오라면 받아 올 것이지 무슨 말이 그렇게 많아.”

“아, 알겠다고요. 받아 오면 될 거 아니에요, 어마마마!”

작은오빠가 느물거리는 말투로 대답했다.

“나, 따라가면 안 돼? 혹시 광철이 만날지도 모르잖아.”

“‘종로에서 김 서방 찾는다’라고 다다구미마을이 얼마나 큰데. 골목골목 집들도 많고.”

갑자기 작년 가을 다다구미마을로 이사한 광철이가 보고 싶었다. 5호집 아주머니도 보고 싶었다. 광철이네가 이사 갈 때까지 아주머니들은 모이기만 하면 5호집 얘기를 했다. 5호집 아저씨는 말단 순경인데 어떻게 돈을 그렇게 잘 벌 수 있느냐로 시작해 사바사바를 잘하거나 와이로(뇌물이라는 뜻의 일본말)를 먹어서 그렇다고 했다. 하지만 나는 알고 있다. 5호집이 이사하게 된 건 아주머니가 밤낮없이 삯바느질을 해서 그런 것이다. 아주머니들은 줄집을 떠나게 된 5호집이 부러워서 없는 일을 지어내는 것 같다. 줄집 사람들의 꿈은 얼른 이곳을 떠나는 것이다.

"어디를 가도 여기 줄집보다는 나을 거야."

돈을 어느 정도 모으면 줄집마을에서 가장 가까운 윗마을로 가는 사람들도 있다. 윗마을 집들은 작아도 있을 건 다 있다. 줄집마을 사람들이 가장 부러워하는 화장실도 있고 수도도 있다.

이사 가기 전날까지 광철이는 계속 약을 올렸다.

"그나저나 우리 집 곧 이사 갈 건데 너 이제 책 어디서 보냐?"

"쳇! 더 이상 볼 게 없거든! 벌써 다 봤는걸!"

바느질하던 아주머니가 알고 있었다는 듯 고개를 끄덕였다. 그러고는 나를 꼭 안아 주며 속삭였다.

"줄집 정거장에서 선기를 만나 행복했어. 혹시 나중에 다다구미마을에 오게 되면 꼭 놀러 오렴. 거기서도 바느질은 계속할 거니까 찾기는 어렵지 않을 거야."

아, 줄집은 정거장이구나. 잠시 머물다 가는 정거장. 그래서 사람들이 떠나고 또 새로운 사람들이 오는구나. 오래도록 함께 할 수 없는 곳이구나. 괜스레 가슴 한쪽이 시려 왔다.

두루미 소동

아버지는 종일 윗방에서 라디오를 틀어 놓고 뉴스를 들었다.

"요즘 통조림 사건으로 온 나라가 시끌시끌합니다. 1962년 4월에 시행된 식품위생법을 위반한 사례가 일 년이 지난 올해 처음 발생했기 때문입니다. 통조림을 만드는 업소에서 미군 부대에서 버린 깡통을 재사용하다가…… 치지지직 칙칙."

큰아버지가 물려준 고물 라디오는 잘 나오다가 가끔 이렇게 이상한 소리가 난다. 통조림 사건? 미군 부대에서 나온 통조림을 1호집에서 본 적이 있다. 작은 깡통을 열자 그 속에 생선이 들어 있었다. 또 다른 깡통엔 고기도 들어 있었다. 그 깡통을 사용한

게 왜 잘못이지? 궁금증에 나는 귀를 활짝 열었다. 다행히 아버지가 라디오 다이얼을 이리저리 돌려 주파수를 맞추었는지 뉴스가 이어져 나왔다.

"정부는 폐용기로 통조림을 제조한 이 사건에 식품위생법을 적용해 처벌을 하기로 결정했습니다."

뉴스를 듣고 나서 알게 된 것이 있다. 아무리 물자가 부족해도 미군 부대에서 버린 깡통을 주워 와 다시 사용하면 안 된다는 것이다.

그 무렵, 큰오빠는 밤솔산에 자주 올라갔다.

"명기가 왜 안 들어오는 거지? 산에서 아직 안 내려왔나?"

엄마가 큰오빠 걱정을 하자, 작은오빠가 엄마를 안심시켰다.

"제가 나가서 찾아볼게요."

나도 따라 나갔다. 밤솔산 쪽에서 세찬 바람이 불어왔다.

"어, 형!"

작은오빠가 놀란 듯 외쳤다. 큰오빠가 커다란 새와 함께 내려오고 있었다.

뚜루루루 뚜뚜루 뚜루루.

새는 큰오빠 옆에 바짝 붙어 따라오며 계속 울었다.

"이 새 어디서 났어? 무슨 새가 이렇게 커?"

내가 신기한 듯 새에게 가까이 가자, 큰오빠가 황당한 표정을 지으며 말했다.

"머리 좀 식히려고 밤솔산에 올라갔는데 이 새가 있더라고. 근데 이 새가 자꾸만 나를 따라오는 거야."

"이 새가 큰오빠를 따라왔다고! 와, 신기하다!"

나는 팔짝팔짝 뛰며 큰 소리로 외쳤다. 내 소리에 줄집 사람들이 하나둘 밖으로 나왔다. 엄마도 동생 정기와 함께 무슨 일인가 하는 표정으로 나왔다. 사람들이 모이자 큰오빠는 집으로 들어갔다. 또 책상 귀신이 되려는 거다.

"이거 황새 같은데."

1호집 할머니가 말했다. 뒤이어 한 아저씨가 알은체를 했다.

"왜가리 같은데요?"

"아니야. 백로가 분명해. 몸뚱이가 하얗잖아!"

사람들은 이 새가 맞다 저 새가 맞다 하며 저마다 주장을 펼쳤다.

"이거 화투 일광에 소나무 옆에 있는 새랑 똑같은데?"

내 말에 1호집 할머니가 손뼉을 치며 외쳤다.

"그래, 그래, 선기 말이 맞다. 일광에 나오는 새니까 두루미야, 두루미."

그렇다는 듯 커다란 새가 뚜루뚜루 울었다.

"자기 이름이 나오니까 뚜루뚜루 울어대는 걸 보니 맞구나 맞아."

"참말로 신기한 새일세!"

줄집 사람들이 손뼉을 쳐대며 깔깔 웃었다. 새 한 마리로 온 마을이 떠들썩했다. 겨우내 해쓱하던 사람들 얼굴이 밝아졌고 생기가 돌았다.

"그런데 이 새를 어떡하지?"

누군가의 말에 또 누군가가 대답했다.

"명기가 데리고 왔으니 명기 새가 맞아. 명기네 집에서 알아서 하겠지 뭐."

"명기가 효자야 효자! 제 아버지를 위해 두루미를 데리고 왔으니 말이야."

오랜만에 술을 안 먹어 맨정신인 9호집 은자 아버지였다.

"큰오빠가 효자인 건 맞지만 그게 울 아버지랑 무슨 상관이 있어요?"

내 말에 은자 아버지가 씨익 웃었다. 뭔가를 알고 있다는 표정에 줄집 사람들이 모두 은자 아버지를 쳐다보았다. 은자 아버지는 사람들의 관심을 받자 어깨를 쓰윽 올렸다.

"얼른 말해 보시구랴? 궁금해서 죽겠구랴."

"흐흠, 그럼 이야기를 시작해 볼까요?"

은자 아버지가 헛기침을 크게 한 번 하더니 입을 열었다.

"일본에서는 두루미가 고급 식재료입니다. 에도 시대에, 아 에도 시대라는 것은 말이죠."

은자 아버지가 설명을 하려 하자, 한 아주머니가 잽싸게 말을 잘랐다.

"아, 에돈지 뭔가 하는 건 알고 싶지 않고 얼른 본론으로 들어가라니까요!"

"아이고, 성질이 급하시군요. 아무튼 정초가 되면 일본에서는 높은 사람들이 두루미국을 먹었다지요."

"오마나!"

"설마."

"이렇게 기품 있는 새를 먹는다고!"

줄집 사람들이 놀라 한마디씩 했다. 나는 온몸에 소름이 돋았다. 국 종류가 얼마나 많은데 두루미국이라니! 아무리 생각해도 이해할 수 없는 일이었다.

"일본 사람들이 조선을 점령하고 나서 나쁜 짓을 많이 했지요. 그건 사람에게만 국한된 게 아니었습니다. 동물들에게도 잔인한 짓을 많이 했습니다. 조선의 호랑이를 멸종시키는 것도 모자라 엄청난 수의 두루미까지 학살했지요."

이곳저곳에서 낮은 신음 소리가 들렸다.

"으으, 나빴어. 정말 나빴어."

은자 언니의 목소리가 크게 들렸다. 멀찍이 서서 구경하는 은자 언니를 발견하고 나는 얼른 그쪽으로 달려갔다.

"바보 같은 두루미. 왜 명기 오빠를 쫓아온 거야?"

은자 언니가 작은 소리로 중얼거리며 내 손을 꽉 잡았다. 두루미를 걱정하는 언니의 마음이 고스란히 전해졌다.

"호랑이는 가죽 때문에 그렇다 치고 두루미는 도대체 왜?"

누군가 또 물었고 은자 아버지는 그 질문이 나올 줄 알았다는 듯 씩 웃었다. 은자 아버지는 그동안 술주정뱅이로 줄집 사람들의 눈총을 많이 받았지만 오늘만큼은 아니었다. 그동안 노름에 미쳐 자식들을 돌보지 않아 손가락질도 많이 받았지만 이 자리에서만큼은 아니었다. 모든 사람이 은자 아버지의 이야기에 귀를 기울였다.

"두루미 다리로 지팡이를 만들기 위해서였지요."

어머나! 저런! 세상에! 줄집 사람들이 저마다의 감정으로 울분을 토했다. 그러고는 이야기의 주인공인 두루미에게 가여운 눈빛을 보냈다.

"너무 끔찍하다."

두루미 다리로 만든 지팡이를 상상하는 순간 나는 온몸을 부르르 떨었다.

소란이 어느 정도 진정되자 사람들은 모두 각자의 집으로 들어갔다. 2월의 바람이 뼛속을 파고들었기 때문이다.

"웅기야, 도망가지 못하게 단단히 묶어라. 아주 귀한 거니까 말이야."

은자 아버지의 명에 따라 작은오빠가 두루미의 가느다란 다리에 줄을 묶어 수도관에 고정했다. 저녁을 준비하는 공동 수돗가에 활기가 넘쳤다. 아주머니들은 신이 나서 너도나도 한마디씩 했다.

"두루미를 푹 고아서 먹으면 폐병이 나을 거야. 폐병은 잘 먹어야 낫는 병이거든. 명기 아버지 병 완전히 낫게 하려면 그 수밖에 없어."

"두루미가 명기 눈에 띈 걸 보면 천운이지 뭐야?"

"아무렴요! 2호집 잘되라고 하늘에서 두루미를 보내 주신 거라고요!"

듣고 있던 내가 소리쳤다.

"안 돼요! 가엾은 두루미는 안 된다고요!"

아주머니들이 멀뚱히 나를 바라보았다. 그러면서 진지한 말투로 내게 물었다.

"선기야, 두루미국을 먹고 아버지가 나을 수도 있는데 안 된다고?"

"너한텐 두루미가 중요하니, 아버지가 중요하니?"

나는 아무 대답도 할 수 없었다. 나에게는 둘 다 중요했기 때문이다. 그때 구세주처럼 엄마가 나섰다.

"아이고, 그만들 하세요."

저녁이 되기 전, 작은오빠가 다다구미 큰집에 가서 빨간 가방을 가져다주었지만 나는 하나도 기쁘지 않았다. 밥도 넘어가지 않았고 잠도 오지 않았다. 혹시 내가 잠든 사이에? 그래, 잠을 자지 말자. 자면 안 돼!

이튿날, 나는 늦잠을 잤다. 수돗가로 달려가니 몇몇 아주머니들이 옹기종기 모여 있었다. 엄마도 쌀을 씻고 있었다. 그때 은자 언니가 헐레벌떡 뛰어왔다.

"두루미, 두루미는 어디 갔어요?"

아주머니들이 무심하게 한마디씩 던졌다.

"아침에 나와 보니 저렇게 줄만 덩그러니 있던걸."

"누군가 풀어 줬나? 아니면 벌써 탕이 된 건가?"

은자 언니의 놀란 두 눈에서 금방이라도 눈물이 떨어질 듯했다. 나는 은자 언니에게 다가가 속삭였다.

"두루미는 내가 풀어 줬어. 식구들이 다 잠들 때까지 기다리느라 죽는 줄 알았어. 나, 잘했지?"

은자 언니가 말없이 고개를 끄덕였다.

엄마가 수돗가를 떠나면서 내 등을 톡톡 두들겼다.

"잘했어."

엄마도 나랑 생각이 똑같았구나. 갑자기 묘한 감정이 북받쳐서 엄마에게 달려가 안겼다.

"얘가 왜 생전 안 하던 짓을 하고 그래?"

엄마가 나를 떼어놓으려고 했지만 나는 매미처럼 딱 달라붙었다. 동생 정기가 태어나고 처음이었다.

아버지의 빈자리

끗발 좋은 사찰계 형사 큰아버지의 도움으로 아버지는 요양원으로 떠났다. 어딘지는 모르지만 가는 데만 꼬박 하루가 걸린다고 했다.

아버지가 떠난 날, 엄마는 나무상자 하나를 꺼냈다. 솜씨 좋은 아버지가 만든 거라고 했다.

"돈 많이 벌어 여기에 꽉꽉 채워 좋은 집으로 이사 갑시다."

아버지가 그렇게 말했다면서 엄마는 나무상자를 어루만졌다.

"너희들 공부는 어떻게든 시킬 거다."

그날부터 엄마는 닥치는 대로 일을 했다. 두 오빠도 끼니를 해

결할 만한 일이라면 두 팔 걷어붙이고 나섰다. 봄이 되면 산과 들로 나가 쑥이며 나물을 캐왔다. 캐온 나물에 쌀을 조금 넣어 나물죽을 쑤어 먹었고, 쑥에 밀가루를 솔솔 뿌려 떡을 만들어 먹기도 했다. 여름이면 작은오빠는 개구리를 잡아 왔다. 개구리 뒷다리는 훌륭한 간식이 되었다. 두 오빠는 칡뿌리를 캐기 위해 경찰학교 뒷산을 지나 만월산을 넘어 공동묘지까지 진출하기도 했다. 햇볕 바른 공동묘지 칡뿌리는 다른 곳에 비해 굵고 튼실하다면서 커다란 칡뿌리를 목에 걸고 개선장군처럼 돌아오던 오빠들을 보며 나는 손뼉을 짝짝 쳤다. 하지만 칡뿌리의 맛은 심한 배신감을 안겨 주었다.

"퉤퉤, 이런 걸 뭐 하러 먹어."

내가 얼굴을 찡그리자 큰오빠가 점잖게 말했다.

"좀 더 씹어봐. 처음에는 씁쓸한데 자꾸 씹다 보면 달콤한 맛이 우러날 거야. 몸에도 좋다니까 먹어두는 게 좋을 거야."

아무리 몸에 좋다고 해도 이런 걸 왜 먹지? 이가 새까매지도록 칡뿌리를 씹어대는 오빠들이 정말 이상했다. 나와 달리 정기는 무엇이든 달게 먹었다. 동생의 몸무게는 내 몸무게를 넘어선 지 오래였다.

홍수가 나서 굴포천이 넘치면 오빠들은 양동이 가득 넘치게 물고기를 담아 왔다. 가을이면 벼메뚜기를 잡으러 들판으로 나갔다. 강아지풀에 벼메뚜기를 줄줄이 꿰어 집에 오면 작은오빠는 요리사가 된 듯 신이 나서 메뚜기를 튀겨 냈다. 학교에 가지 않는 날이면 작은오빠는 십 리를 걸어 염전에 가서 망둥이를 잡아 왔다. 소금에 짜게 절여 말린 망둥이는 겨우내 밥상에 올랐다. 늦가을 추수가 끝나면 엄마는 오빠들을 앞세워 이삭을 주우러 다녔다.

그렇게도 가고 싶었던 학교에 갔지만 공부는 지루했다. 이미 다 아는 글자를 계속 따라 쓰고 따라 읽는 게 마음에 안 들어 나는 공부 시간 내내 창밖을 보았다. 담임 선생님은 그런 나를 혼내지 않았다.

"선기랑 이렇게 학교 같이 다닐 날도 얼마 남지 않았네."

은자 언니는 중학교에 진학하지 않기 때문에 오전 수업을 마치고 나랑 같이 집에 왔다. 중학교에 가지 않는 아이들은 입시를 준비하지 않아도 되기 때문이었다.

1963년 올해는 대통령 선거가 있는 해라서 그런지 동네 사람들은 모이기만 하면 그 얘기다. 학교 오가는 길목마다 선거 벽보가 빽빽이 붙었다. 그 앞은 늘 사람들로 북적였다.

"대통령 되겠다고 참 많이도 나왔구먼."

한 아주머니가 줄줄이 붙어 있는 벽보를 신기한 듯 쳐다보며 말했다.

"이번 대통령 선거는 직접 선거라면서요?"

"그게 뭔 소리유?"

"우리가 직접 대통령을 뽑는다네요."

사람들이 수런거리며 이야기를 나누는데, 한 아저씨가 선거 벽보를 크게 읽었다.

"새 일꾼에 한 표 주어 황소같이 부려 보자! 민주공화당 후보가 일 좀 할 것 같지 않아?"

"그걸 누가 알겠어? 모두들 말은 번드르르하게 하잖아."

"국민 잘살게 해 줄 사람이 누군지 알면 난 당장 그 사람을 뽑을 거야."

어른들은 누가 대통령이 되면 좋을지 날마다 벽보 앞에서 고민을 하는 듯했다. 아이들도 덩달아 벽보를 구경하며 한마디씩 했다.

"언니는 누가 뽑힐 것 같아?"

내 말에 은자 언니가 얼른 대답했다.

"나라와 국민을 위해 열심히 일할 사람이 뽑혔으면 좋겠어."

그때 용팔이가 쭈뼛쭈뼛 다가와 뭔가를 내밀었다.

"선기야, 이것 좀 봐라."

우표였다. 우표에는 〈5.16 군사혁명기념우표〉라는 글자 밑에 〈단기 4294년 6월 16일 발행〉이라는 글자가 쓰여 있고 오른쪽에

군인 아저씨가 횃불을 들고 있는 그림이 있었다.

"단기 4294년 5월 16일, 군인들이 혁명을 일으킨 날을 기념하는 우표네."

내 말에 근처에 있던 아이들이 몰려들었다.

"선기야, 너 단기가 뭔지도 알아?"

"역시 선기는 모르는 게 없어."

그러자 화선이가 나를 시험하듯 물었다.

"단기 4294년이 뭔데? 도대체 뭔데?"

"단기 4294년은 1961년을 말하는 거니까 이 우표는 2년 전에 나온 거네."

나는 큰오빠 중학교 교과서에서 본 내용을 떠올리며 말했다. 나를 둘러싸고 있던 아이들이 손뼉을 세게 쳤다.

"우와. 역시 박선기! 너, 이거 가질래?"

용팔이가 우표를 내밀었다. 나는 고개를 저었다. 도대체 우표를 왜 모으는 거지? 그거 살 돈 있으면 학용품을 사겠다. 만날 공책을 안 갖고 와 선생님한테 혼나면서 우표는 척척 사는 용팔이가 이상했다.

"그럼, 그거 나 줘."

화선이가 말하자, 용팔이가 얼른 우표를 뒤로 감췄다. 화선이가 샐쭉 토라져서 말했다.

“그거 비쌀 텐데 너 무슨 돈으로 샀어?”

“울 아버지가 돈을 얼마나 잘 버는데.”

“흥, 기관조사가 무슨 돈을 잘 번다고 그래?”

화선이가 콧방귀를 뀌었다. 화선이와 용팔이는 자기 아버지가 돈을 더 잘 번다면서 한참 동안 말싸움을 했다. 그런 용팔이와 화선이를 보자 아버지 생각이 났다. 요양원에서 잘 계시려나? 그동안 아버지 생각을 별로 안 한 게 미안했다. 엄마는 무소식이 희소식이라고 했다. 아버지가 돈을 잘 못 벌어도 집에 있으면 좋을 텐데. 아버지가 없으니까 허전했다.

처음 만난 양공주

나카마치 거리를 가로질러 구멍가게를 지나면 줄집마을이 시작된다. 광철이네가 살던 5호집에 누군가 새로 이사를 왔다. 쭈뼛쭈뼛 서 있는 우리에게 젊은 여자가 먼저 인사를 건넸다.

“5호집에 새로 이사 온 김예분이라고 해. 그냥 언니라고 불러 주면 좋겠어. 그리고 이 사람은…….”

예분 언니가 뒤에 서 있던 남자를 소개했다. 군복을 입은 남자는 얼굴이 새까맸고 머리가 곱슬곱슬했다. 작은오빠가 다다구미 마을에서 까만 미군을 처음 보고 깜짝 놀랐다고 하더니 그 말이 맞았다. 나도 은자 언니도 깜짝 놀랐다. 얼굴이 하얀 미군은 더러

보았지만 석탄처럼 얼굴이 새까만 사람은 처음 보았기 때문이다.

'아, 그렇다면 예분 언니가 양공주?'

나는 깜짝 놀라 은자 언니의 손을 꽉 잡았다. 사람들은 미군들과 함께 어울리는 여자를 양공주라고 부른다. 사람들은 양공주에 대해 이러쿵저러쿵 말을 한다. 어떤 사람들은 돈을 벌기 위해 양공주가 되는 건 가족들을 먹여 살리니까 흉볼 일이 아니라고 하고, 또 어떤 사람들은 양공주가 되는 건 부끄러운 일이라고 했다.

"양키들과 어울리는 게 정말 남사스러워요. 아이들이 보며 뭘 배우겠어요?"

엄마는 양공주에게 세주면 절대로 안 된다고 화선 엄마를 볼 때마다 이야기했다.

"헬로! 마이 네임 이즈 제임스."

얼굴 까만 미군이 활짝 웃으며 먼저 인사를 했다.

"마이 네임 이즈 제임스?"

은자 언니가 신기한 듯 따라 말했다.

"내 이름은 제임스야. 이렇게 말하고 있는 거야."

예분 언니의 말에 나와 은자 언니는 고개를 끄덕였다. 그러고는 약속이나 한 듯이 허리를 깊숙이 숙여 인사를 했다.

"안녕하세요? 줄집마을에 온 걸 환영합니다!"

"반, 가, 워, 요. 잘, 부, 탁, 합, 니, 다."

제임스가 떠듬떠듬 한국말로 인사를 했다. 제임스의 한국말이 세 살 어린아이가 말하는 것 같아 나는 키득키득 웃었다.

"선기야, 그건 예의가 아니야."

그렇게 말하는 은자 언니도 사실은 웃음을 꾹 참고 있었다. 우리 모습을 본 예분 언니가 수줍은 듯 말했다. 화장을 해서 그렇지 예분 언니는 아직 스무 살도 안 된 것 같았다.

"제임스는 우리 부모님에게 결혼 승낙받으려고 한국말을 공부하는 중이야. 물론 우리 집에서는 제임스 만나는 걸 꺼려서 집에 오라는 소리를 안 하지만……."

예분 언니의 마지막 말이 왠지 쓸쓸하게 들렸다.

'양공주와 미군도 우리랑 똑같은 사람이네. 무섭고 이상한 사람들인 줄 알았는데.'

나는 예분 언니와 제임스가 마음에 들었다. 은자 언니도 그런 것 같았다.

'엄마가 알면 난리 날 텐데.'

집에 들어가니 엄마가 보이지 않았다. 나는 공동 수돗가로 달려갔다. 몇몇 아주머니들이 모여 빨래를 하고 있었다. 거기에도 엄마는 없었다.

"그나저나 이번 대통령 선거에 몇 번 뽑을 거야?"

8호집 아주머니의 말에 아주머니들이 목소리를 높였다.

"우리네야 누가 정권을 잡은들 무슨 상관이겠어요. 그저 입에 들어갈 쌀과 방구들 따뜻하게 할 석탄이나 충분히 준다면 난 그 사람을 뽑을 거외다."

"아이고, 얼마 전에 윗마을 화선네 놀러 갔었는데 연탄을 들여 놓더라고. 그것도 100장씩이나."

8호집 아주머니가 부러운 듯 말했다.

"우리도 구공탄 좀 때 봤으면 원이 없겠어요. 만날 석탄만 만지니까 내가 석탄이 된 기분이에요."

누군가의 말에 아주머니들이 깔깔 웃음보를 터뜨렸다.

"어쨌든 출세하려면 사바사바를 잘해야 해. 그 4호집이 그렇게도 역장에게 사바사바를 하더니만 남편이 기관사로 승진했다는군."

8호집 아주머니가 목소리를 한껏 낮추며 속닥거렸다. 용팔이 아버지가 기관사로 승진했다는 소식은 나도 처음 들었다. 그래서 용팔이가 자기 아버지가 돈을 잘 번다고 뻐긴 거였구나.

"그런데 사바사바가 뭐예요?"

내가 궁금증을 못 참고 물었다.

"아이고, 깜짝이야? 애는 언제부터 여기 있었던 거야?"

8호집 아주머니가 화들짝 놀라며 주위를 둘러보았다.

"사바는 고등어란 뜻이란다."

1호집 할머니가 대답했다. 마을에서 가장 나이가 많은 1호집 할머니는 일본 말을 잘했다.

"사바가 두 개니까 고등어 고등어네요."

내 말에 1호집 할머니가 고개를 끄덕였다.

"옛날 일본에서는 높은 사람에게 고등어를 갖다 바치는 게 가장 큰일이었어. 지금과 달리 고등어가 엄청 귀한 생선이었거든."

"아하! 알겠어요. 그러니까 용팔이 아버지가 고등어 두 마리를 갖다 바치고 기관사가 되었다는 소리네요. 아, 아깝다. 고등어 세 마리 갖다 바쳤으면 역장이 되었을지도 모르는데."

내 말에 아주머니들이 웃음을 터뜨렸다.

그때 어디선가 다투는 소리가 들렸다. 5호집 앞에 엄마와 화선 엄마가 서 있었다.

"화선 엄마, 양공주에게는 세놓지 않겠다고 했잖아. 어떻게 이럴 수가 있어?"

"집이 영 안 나가는데 어떻게 하겠어? 나도 월세를 받아야 하니까 어쩔 수 없었다고."

"월세 안 받아도 충분히 살 수 있으면서 굳이 양공주에게 세를 놓을 건 없잖아!"

"선기 엄마가 양공주 싫어하는 거 알지만 그렇다고 집을 계속 비워 둬? 그리고 그 사람들도 우리랑 똑같은 사람이야."

"흥! 언제부터 그렇게 양공주에게 호의적이었어?"

엄마의 날 선 말투에 내 가슴이 콩닥거렸다. 깡시장에 다녀왔는지 장바구니를 든 예분 언니가 바로 옆에 서 있었다. 죄를 지은 듯 고개를 푹 숙인 예분 언니를 보니 마음이 안 좋았다.

석탄과 밀가루

양공주에게 세를 주었다는 이유로 앵돌아진 엄마는 화선 엄마네 집으로 돈을 꾸러 가지 않았다. 급전이 필요할 때면 엄마는 늘 화선네로 달려가곤 했다. 화선 엄마는 엄청난 구두쇠이지만 엄마에게는 한 치의 망설임도 없이 돈을 빌려주었다. 아이들 넷을 가진 엄마라는 공통점에 그 아이들 넷이 성별은 다르지만 나이가 똑같다는 기막힌 우연 때문이었다. 화선이 아버지는 돈을 많이 벌어 온다. 또 화선이 엄마는 엄마보다 나이가 많다는데도 훨씬 젊어 보인다. 옷도 양장만 입고 머리는 파마를 하고 날마다 화장도 한다.

"내가 아들을 하나 더 낳았어도 화선이 아버지가 한눈을 팔지는 않을 텐데."

화선이 아버지는 관광버스 기사인데 놀러 가는 아줌마들에게 팁을 많이 받아 퇴근할 때면 주머니가 두둑하다고 한다. 화선 엄마의 넋두리를 들을 때면 왜 모두들 아들, 아들 하는지 모르겠다. 나도 이다음에 커서 자식을 낳으면 그럴까? 나는 고개를 세차게 흔들었다. 나는 절대로 여자와 남자를 차별하지 않을 거다. 아들과 딸을 똑같이 대할 거다.

한 달에 한 번 육성회비를 낼 때마다 엄마는 한숨을 내쉬었다. 엄마의 한숨 소리가 얼마나 크고 깊은지 방바닥이 흔들리는 착각에 빠질 정도였다. 그럴 때마다 나는 상상의 나래를 펼친다. 엄마의 한숨에 다다미가 들썩거리고 얼기설기 엉성하게 세워진 나무 지붕이 날아간다. 그러면 나는 다다미를 안정시키고 곧바로 날아간 지붕을 찾아 모험을 떠날 차비를 한다.

"이대로는 안 되겠어. 방법을 찾아봐야겠어."

엄마가 혼잣말을 하며 벌떡 일어나는 바람에 나는 상상 속에서 화들짝 깨어났다. 집을 나서는 엄마 뒤를 따라나섰다. 오랜만에 은자 언니네 놀러 갈 참이다. 그런데 엄마가 4호집 앞에 서서 한참 망설이더니 결심한 듯 쓱 들어갔다.

'어, 이상하다? 엄마는 4호집 아주머니랑 별로 친하지 않은데

무슨 일이지?'

4호집 아저씨가 기관조사여서 사람들은 아주머니를 기차댁이라고 부른다. 아주머니는 무슨 말이든지 돌려서 말하지 않고 하고 싶은 말을 따발총처럼 한다. 그것 때문에 가끔 사람들과 큰 소리를 내며 다투기도 한다.

나는 살짝 벌어진 문틈에 눈을 대고 안을 들여다보았다. 엄마와 4호집 아주머니가 낮은 목소리로 이야기를 나누고 있었다.

"돈 벌 방법을 가르쳐 준다고 해서 왔어요."

"애들 데리고 먹고살아야 하지 않겠어? 그러니 내 말대로 해 봐."

엄마가 아무 대답을 안 하자 아주머니가 엄마의 아픈 구석을 콕콕 찌르듯 말했다.

"애들 아버지는 요양원에서 언제 나올지 모르고 돈 나올 구멍은 없고 아이들은 쑥쑥 자라고."

엄마가 고개를 푹 숙였다. 엄마의 이런 모습은 처음 보았다. 엄마는 없이 살아도 기가 죽거나 고개를 숙이는 사람이 아닌데. 낯선 엄마 모습에 깜짝 놀랐다. 잠시 후 엄마가 결심한 듯 치마 앞섶 주머니에서 꾸깃꾸깃한 지폐 몇 장을 꺼냈다. 아주머니의 얼굴이 환해졌다.

"그래, 잘 생각했어. 내 말 믿고 그대로 하는 거야. 오늘부터 나랑 동업자인 거 잊지 말고."

엄마가 왜 4호집 아주머니에게 돈을 주지? 피 같은 돈을. 그리고 동업자라고?

"오늘 밤 10시야, 10시! 잊지 말라고!"

엄마가 문을 향해 몸을 돌리자, 나는 잽싸게 공동변소 쪽으로 달려가 숨었다. 가슴이 벌렁거렸다. 분명 무슨 일이 벌어지는 것이 분명했다. 그 일이 뭔지는 모르지만 좋은 느낌은 아니었다.

그날 저녁이었다. 다른 날 같으면 동생을 재우고 일찍 잠자리에 들어야 할 엄마가 나갈 채비를 했다. 윗방에서는 오빠들의 코 고는 소리가 들렸다. 아버지가 쓰던 윗방은 오빠들 차지가 되었다. 동생도 깊은 잠이 들었는지 쌕쌕 비행기 소리를 냈다.

"오늘 밤 10시야, 10시!"

아주머니의 말이 떠올랐다.

나는 이불 속에서 올빼미처럼 머리를 돌리며 눈알을 굴리고 있었다. 그런 나를 발견한 엄마가 작은 소리로 말했다.

"석탄 가지러 갔다 올 테니 얼른 자."

석탄, 석탄은 줄집마을 사람들에게 없어서는 안 될 중요한 연료다. 석탄가루에 물을 넣어 수제비 반죽하듯 잘 개어 불을 붙이는데 그때 석탄은 숨기고 있던 힘을 아낌없이 뿜어낸다. 조개 모양으로 만들어 굳힌 조개탄은 가루가 날리지 않고 사용하기 편하지만 값이 비싸서 줄집 사람들은 잘 쓰지 않는다. 까만 석탄에 불을 지펴 밥도 짓고, 국도 끓이고, 찌개도 안친다. 항구가 가까워 생선은 값도 싸고 구하기도 쉽다. 아궁이에 들어간 석탄 덩어리를 빼내서 꽁치를 굽는다. 날씬한 꽁치가 석탄불에 지글지글 끓어오르면 구수한 냄새가 온 마을에 퍼졌다.

어느 날부터인가 기차역 근처에 까만 석탄가루 산이 자꾸만 생겼다. 사람들 말에 의하면 역 바로 옆에 연탄 공장이 들어설 거라고 했다. 일주일에 한 번 정도 석탄을 가득 실은 기차가 석탄을 부려 놓았다. 석탄가루 산은 하늘에 닿을 듯 높이 쌓여 갔다. 바람 부는 날이면 석탄가루가 날려 손 닿는 곳마다 까만 먼지 더께가 생겼다. 그러다 보니 석탄을 몰래 퍼가는 사람들도 생겼다. 양동이에 석탄가루를 퍼 담아 가다 들켜 파출소에 잡혀간 사람들의 얘기가 심심찮게 들려왔다.

잠이 오지 않았다. 이불을 끌어당겨 목까지 덮고 얼굴만 빼꼼 내밀고는 온갖 상상을 하였다. 엄마가 한밤중에 나가는 까닭은 뭘까? 석탄을 가지러 간다고 했지. 그래, 맞아. 그런데 왜 남들 다 자는 한밤중에 석탄을 가지러 가는 걸까? 그렇다면 엄마는 석탄을 훔치러 가는 거야. 엄마가 석탄을 훔치다 순경에게 잡혀 끌려가는 모습이 떠오르자 눈물이 절로 나왔다. 얼마나 시간이 흘렀을까? 엄마가 들어오는 기척이 들렸다. 그러자 신기하게 눈까풀이 스르르 내려앉았다.

아침에 일어나 보니 부엌 한구석에 자그마한 자루가 세 개나 있었다.

"엄마, 이게 뭐야?"

"뭐긴 뭐야? 석탄이지!"

"엄마, 이거 석탄산에서 훔쳐 온 거야?"

"얘가 무슨 소리를 하고 있어? 피 같은 돈 주고 사 온 거야."

"근데 왜 한밤중에 나갔어? 몰래 가져오려고 그런 거 아니었어? 그러다 순경한테 잡히면 어쩌려고 그래!"

나는 따발총처럼 말을 쏟아 냈다.

"얘가 왜 이렇게 말이 많아. 쉿, 조용히 해. 큰오빠 공부하는데 방해되니까."

그렇다고 포기할 내가 아니었다. 계속 엄마를 쫓아다니면서 석탄을 훔치면 안 된다고 말했다.

"아유, 이 찰거머리 같은 계집애. 그게 아니라니까."

그제야 엄마가 자초지종 이야기를 해 주었다. 4호집 아주머니가 제안한 방법이라고 했다. 엄마가 4호집 아주머니에게 돈을 지불하고 자루를 건네면, 아주머니가 철도역 선로반에 가서 자루를 맡긴다. 4호집 아주머니는 중간에서 브로커 역할을 하는 것이라고 했다. 밤이 되어 기차가 줄집마을 근처를 지날 때, 기관사가 속도를 늦추면 화부가 미리 담아 놓은 석탄 자루를 기찻길 옆으로 던진다. 그러면 엄마는 약속한 시각에 맞춰 나가 자루를 끌고 오면 된다고 했다.

"그러니까 훔친 게 아니라 정당한 값을 주고 사 온 거야."

엄마가 당당하게 말했다. 4호집 아주머니는 석탄 장사를 할 사람을 선로반에 소개해 주고 그 대가로 돈을 받는다. 선로반 사람들은 화부를 시켜 석탄을 자루에 넣어 기찻길 옆에 던지라고 한다. 화부는 자기 석탄이 아닌데 자루에 석탄을 담아 던진다. 그렇다면 누가 도둑질을 한 것일까? 과연 엄마는 죄가 없는 것일까? 갑자기 머리가 아프기 시작했다.

"아, 어지러워."

내가 휘청거리자 작은오빠가 뒤에서 나를 붙잡았다. 작은오빠가 엄마 편을 들었다.

"네가 걱정할 일이 아냐. 도둑질은 선로반 사람들이 한 거지. 우리는 값을 분명 치렀잖아."

그렇게 엄마의 장사가 시작되었다. 엄마는 가져온 석탄을 조금씩 나눠서 팔았다. 그건 가루 석탄이 아니고 조개탄인 데다 가게보다 가격도 조금 싸서 인기가 좋았다. 석탄이 잘 팔린 날에는 맛있는 반찬이 올라오고 오랜만에 흰쌀밥도 먹을 수 있었다. 자루를 끌고 오는 게 힘에 부친 엄마는 덩치 큰 작은오빠를 데리고 석탄을 가지러 나갔다.

뭐든지 몰래 하는 게 재미있나 보다. 나는 가끔 엄마 주머니에서 1원을 꺼내 구멍가게에서 사탕을 사 먹는다. 들키지 않아서 기분이 묘하게 좋았다. 어른들도 나랑 똑같은 기분인가 보다. 엄마가 밤마다 석탄 자루를 가져오고, 8호집 아주머니는 밀주를 만든다. 나라에서 쌀이 모자라니까 술을 만들지 말라고 명을 내렸는데도 8호집 아주머니는 술을 만들어 부엌에 땅을 파고 그 밑에 술항아리를 감추어 놓았다.

"쉿! 누구한테도 말하면 안 돼!"

8호집 아주머니는 손가락을 입에 대고 말했다. 사 먹는 사람이 꽤 있었는지 아주머니의 장사는 꽤 오래갔다. 그러던 중 나는 1호집 아저씨의 비밀도 알게 되었다.

"아저씨, 식당에서 무슨 일 해요? 밥하고 반찬 만들어요?"

아저씨가 고개를 흔들었다.

"선기야, 미국 사람들은 밥을 먹지 않고 빵을 먹어."

아, 그래서 학교에서도 옥수수빵을 나눠 주었구나. 선생님은 미국에서 보내온 옥수숫가루로 만든 빵이라면서 미국에 고마운 마음을 가져야 한다고 말했다. 학교에서 주는 옥수수빵은 너무 맛있다. 하지만 먹고 싶다고 해서 먹을 수 있는 건 아니다. 항상 양이 모자라서 선생님은 그날그날 착한 일을 한 사람에게만 준다고 했다. 아이들은 그 빵을 먹기 위해 일부러 착한 일을 한다.

아저씨는 미군 부대 식당에서 밀가루 담당이라고 했다. 밀가루를 받아서 창고에 쌓아 놓는 일을 한다고 했다. 금요일 퇴근할 때마다 아저씨는 빈 밀가루 포대를 자전거에 잔뜩 싣고 온다.

"아저씨, 악수표 밀가루 포대 많이 갖고 왔네요."

밀가루 포대 위에서 한국 남자와 미국 남자가 악수를 하고 있다. 아마도 한국과 미국 두 나라가 이만큼 사이가 좋다고 광고하는 것 같다. 아저씨가 밀가루 포대를 많이 갖고 오는 날이면 아저씨뿐 아니라 새댁과 할머니의 얼굴에도 웃음이 떠나지 않는다. 할머니는 밀가루 포대를 깨끗이 빨아서 검정 색깔로 염색을 한다. 그렇게 한 뒤 할머니는 바지도 만들고 치마도 만든다. 할머니가 만든 옷은 인기가 좋아 줄집 사람들뿐 아니라 다른 사람들도 많이 사 간다.

"선기야, 내가 요술 보여 줄게. 들어와 봐."

아저씨의 말에 방 안으로 들어갔다. 좁은 방안에 아저씨와 새댁 그리고 할머니와 내가 옹기종기 모여 앉았다. 방 한가운데에는 커다란 함지박이 놓여 있다.

아저씨가 밀가루 포대를 거꾸로 들더니 주문을 외웠다.

"밀가루야, 밀가루야. 잠에서 깨어나 어서 나와라 얍!"

주문이 끝나자 밀가루가 비처럼 쏟아져 내렸다.

"와, 진짜 요술이다. 어떻게 빈 포대에서 밀가루가 나올 수 있지?"

내가 흥분해서 발딱 일어나자, 아저씨가 흐뭇한 얼굴로 밀가루 포대를 내려놓았다. 아저씨는 곧 다른 포대를 들고 주문을 외웠고 밀가루가 쏟아져 내렸다. 그 일은 계속되었고 곧 밀가루가 산처럼 쌓였다.

"이 밀가루를 가게에서 파는 것보다 싸게 팔면 너도나도 사 갈 거야."

할머니가 흐뭇한 얼굴로 밀가루를 바라보았다. 새댁은 쌓인 밀가루를 작은 포대에 나눠 담았다.

아직도 입을 다물지 못하고 있는 나를 보고 아저씨가 웃으며 말했다.

"이 요술의 비밀을 알려 줄게."

나는 귀를 쫑긋했다.

"식당에서 밀가루를 쏟을 때 포대 양쪽 귀퉁이를 주먹으로 꽉 쥐는 거야. 그러면 주먹 쥔 곳의 밀가루는 포대 안에 남아 있겠지? 그걸 이렇게 집에 갖고 와 터는 거야."

"그, 그게, 요, 요술의 비밀이라고요?"

나는 배신감에 말까지 더듬었다.

"그건 도둑질이잖아요!"

내 말에 아저씨가 "노노!" 하면서 집게손가락을 흔들었다. 아저씨는 미군 부대 다니면서 '예스'라는 말과 '노'라는 말을 자주 쓴다.

"도둑질은 상대방이 그렇게 느껴야 성립되는 거야. 미군들은 우리가 상상도 못 할 정도로 부자여서 이런 거 신경 안 써. 부대 안에는 발에 치이고 걸리는 게 물자야. 하지만 우리는 달라. 우리는 이렇게 힘겹게 밀가루를 모으면 엄청난 일이 벌어지지. 이게 바로 요술이지 뭐가 요술이겠냐!"

그러니까 이건 도둑질이 아니라는 뜻이다. 많이 가진 사람들에게서 요 정도 빼내는 것은 죄가 될 수 없다는 것이다. 아저씨 말이 맞는 것 같기도 하고 아닌 것 같기도 해서 나는 그냥 웃었다. 하지만 속마음은 그렇지 않았다.

'바늘 도둑도 도둑은 도둑이야. 그 바늘 도둑이 소도둑이 된다는 말도 있는데.'

그런 내 마음도 모르는 채 아저씨는 신이 나서 콧노래를 불렀다. 그때 작은오빠가 나를 부르러 왔다.

"선기야, 저녁 먹을 시간이야."

작은오빠를 보자, 아저씨가 생각났다는 듯 말을 꺼냈다.

"웅기야, 미군 부대에는 네 또래 아이들도 많아."

"하우스뽀이 말하는 거죠? 하우스뽀이는 무슨 일을 해요?"

"높은 자리에 있는 미군들 집에서 집안일을 하는 거지. 청소하고, 심부름하고, 구두도 닦고, 다림질도 하고."

"아, 그래요? 그렇게 어려운 일은 아니네요."

작은오빠는 아저씨의 말을 들으며 고개를 끄덕였다.

"미군 부대는 금요일까지만 일하고 월급도 다른 회사의 두 배가 넘어."

작은오빠가 부러운 눈으로 아저씨를 쳐다보았다.

"지금은 미군 부대 들어가기 어렵지요?"

"그럼! 처음에는 쉬웠지만 지금은 하늘의 별 따기만큼이나 어려워. 그래서 사람은 선견지명이 있어야 해."

선견지명은 다가올 일을 미리 짐작하는 능력이라고 했다. 미군 부대가 우리에게 일자리를 주고 먹여 살릴 거라는 것을 예측했기 때문에 아저씨는 지금 잘살고 있는 거라는 얘기다.

작은오빠의
꿍꿍이

학년이 높아지면서 나는 언니 오빠들과 노는 게 재미있어졌다. 특히 금옥 언니랑 예분 언니랑 놀기 시작했다. 6호집에는 나보다 네 살 많은 금옥 언니가 살고 있는데 언니의 엄마는 인근에서 알아주는 큰무당이다. 굿을 자주 해서 그런지 금옥 언니네 집에는 먹을 것이 넘쳐난다. 언니는 인심이 좋아서 이것저것 잘 나눠 준다.

"선기야, 이거 니네 오빠 갖다줘."

금옥 언니는 언니네 집에 있는 먹을 것 중에서 가장 귀하고 맛있는 걸 싸 준다.

"어떤 오빠? 작은오빠, 큰오빠?"

언니는 배시시 웃기만 할 뿐 대답하지 않았다. 언니는 아마도 큰오빠를 좋아하겠지. 작은오빠 같은 남자를 좋아할 여자가 어디 있겠어? 먹는 걸 밝히는 데다 공부도 못하고 덩치는 산만한 남자를 누가 좋아하겠어? 작은오빠는 학교에서도 자주 벌을 받고 집에서도 늘 잔소리를 듣는다. 공부를 안 한다는 이유다. 중학교에 가서도 작은오빠는 여전히 공부를 안 한다.

"두고 봐, 나는 부자가 될 테니까."

작은오빠가 하는 말을 듣고 있으면 철이 들려면 아직도 멀었구나 그런 생각이 든다. 부자가 되려면 큰오빠처럼 공부를 열심히 해야 할 것 같은데 말이다. 금옥 언니가 싸 준 걸 집으로 들고 오자 엄마가 큰오빠에게 몇 번이나 말했다.

"명기야, 너는 무당집에서 갖고 온 거 먹으면 안 돼."

"왜 큰오빠는 먹으면 안 돼?"

내 물음에 엄마가 대답했다.

"혹시라도 부정 탈까 그런다."

"우리는 부정 타도 괜찮고?"

내 말에 엄마가 눈을 흘겼다. 그냥 그런가 보다 넘어가면 될 것을 사사건건 말꼬리를 잡는 내가 미워 죽겠다는 눈빛이다. 큰오빠는 엄마 말을 거역한 적이 한 번도 없다. 줄집 사람들은 큰오빠를 선비라고 부른다. 공부도 잘하고 점잖고 예의 바르기 때문이다. 게다가 큰오빠는 지금까지 한 번도 일등 자리를 놓친 적이 없다.

내가 요즘 자주 가는 집은 은자 언니네 집이다. 은자 언니가 중학교에 진학하지 못하자 줄집 사람들은 모이기만 하면 은자 언니 아버지 흉을 본다.

"술 좀 덜 마셨어도 중학교는 충분히 보낼 수 있었을 텐데. 그놈의 술이 웬수야, 웬수!"

"술도 술이지만 노름에 미쳐서 그런 거지."

언니 아버지는 마을에서 알아주는 술주정뱅이에다 노름꾼이다. 술을 안 먹었을 때는 샌님 같은데 술만 먹었다 하면 꼭 미친 사람 같다. 언니를 향해 살림살이를 던지고 욕도 한다. 꼭 화풀이를 하는 사람 같다. 언니 엄마가 집을 나간 게 언니 탓이 아닌데도 말이다. 언제 아저씨가 정신이 멀쩡할 때 꼭 물어보고 싶은 게 있다. 하나는 "아저씨는 왜 물건을 던져요?"고 또 하나는 "아저씨는 노름에 소질이 없는데 왜 노름을 못 끊어요?"다.

내 생각을 듣자, 은자 언니가 한숨을 쉬며 말했다.

"노름은 중독성이 심해서 끊기가 어렵대."

언니는 날마다 밥도 하고 물도 긷고 동생도 돌본다. 학교 다닐 때는 공부도 잘했다. 큰오빠처럼 1등은 못 했어도 5등 안에는 꼭꼭 들었다.

"일 년만 쉬면 중학교에 갈 수 있을 거로 생각했는데 어느새

2년이 지났어."

중학교에는 못 갔어도 언니는 작은오빠의 교과서를 빌려서 공부를 한다. 그러다 모르는 게 있으면 큰오빠에게 묻는다. 그런데 이상한 것은 작은오빠의 태도다. 작은오빠는 은자 언니랑 같이 있으면 괜히 미안해하며 쩔쩔매면서 주절주절 이야기가 길어진다.

"나 같이 공부하기 싫어하는 애들이 왜 중학교를 가야 하는지 모르겠어. 공부도 잘하고 똑똑한 은자 너 같은 아이가 중학교에 가야 하는데."

은자 언니가 중학교에 못 간 게 자기 탓도 아닌데 작은오빠는 왜 그러는지 모르겠다.

"나중에 야간 학교에 가면 돼."

"그래? 야간 학교가 있어?"

"명기 오빠가 그러더라. 형편이 안 되어 학교에 가지 못하는 아이들을 위한 야간 학교가 많다고. 명기 오빠가 내가 다닐 수 있는 학교를 알아봐 준다고 했어."

"우리 형이? 칫! 별일이네. 형이 남의 일에 나서기도 하다니 놀랄 일이야."

작은오빠의 말이 왠지 빈정대는 듯 들린다. 그럴 수도 있겠지. 모든 면에서 자기보다 뛰어난 형을 두면 자랑스러운 한편 비교당

하는 기분일 것이다. 작은오빠가 줄집 사람들에게 가장 많이 듣는 말은 바로 이것이다.

"아이고, 웅기야. 네 형 반만 닮아 봐라."

반죽 좋은 작은오빠는 아무렇지 않게 받아넘긴다.

"아이고, 똑똑한 사람은 집안에 한 명으로 충분합니다. 저까지 똑똑하면 큰일 나지요."

줄집 아주머니들은 작은오빠의 너스레에 박장대소하며 웃는다.

요즘 은자 언니랑 같이 저녁마다 가는 집이 있다. 바로 5호집 예분 언니네다. 내가 밤마다 5호집에 간다는 걸 알면 엄마는 몽둥이찜질을 할 거다. 그런데 작은오빠가 자꾸만 자기도 5호집에 가겠다고 한다.

"여자들끼리 모이는데 오빠가 왜?"

내가 눈을 동그랗게 뜨자, 작은오빠가 으름장을 놓았다.

"나 안 끼워 주면 엄마한테 이를 거다. 제임스가 있는 날에 가고 싶다는 소리야."

"제임스랑 말도 안 통하면서 뭐 하러?"

내 말에 작은오빠가 얼른 대답했다.

"사실은 제임스에게 영어 좀 배워 볼까 해서 그래. 영어를 하면 취직할 때 유리할 것 같아서."

공부는 죽어라 안 하는 오빠가 영어를 배우고 싶다는데 놀랐다. 도대체 무슨 꿍꿍이지? 내가 고개를 끄덕이자 작은오빠는 뭐가 좋은지 실실댔다.

예분 언니네 집에는 신기한 게 정말로 많다. 그중 하나가 트랜지스터 라디오다. 아버지가 듣는 고물 라디오보다 훨씬 성능이 좋다. 미제인 줄 알았는데 우리나라 기업 금성사에서 만든 거라고 한다. 예분 언니가 저녁마다 듣는 연속극이 있는데 어느 날 우연히 함께 듣게 되었다. 그때 연속극이 어찌나 재미있었는지 그 날부터 나와 은자 언니는 그다음 이야기를 기다리게 되었다. 연속극 시작할 즈음 우리는 예분 언니네로 갔다. 연속극이 시작되기 전에 〈섬마을 선생님〉 노래가 흘러나왔다. 가수 이미자의 구성진 목소리에 벌써부터 가슴이 두근두근했다. 오늘은 어떤 이야기가 펼쳐질까? 혹시 한 마디라도 놓칠세라 어른 손바닥만 한 라디오에 귀를 바짝 들이댔다.

의학을 전공한 청년 명식은 약혼녀 수연의 만류에도 불구하고 외딴섬으로 들어간다. 월남에서 전사한 부하의 유언을 지키기 위해서다. 그곳에서 명식은 교사이면서 의사로 사람들을 가르치고, 치료도 해 주면서 살아가지만 마을 사람들은 그런 명식에게 의심의 눈초리를 보낸다. 마을 처녀 영주는 명식을 짝사랑하며 가슴앓이를 한다. 나는 마치 내가 주인공 섬 처녀 영주가 된 듯 가슴이 벌렁벌렁했다. 얼굴까지 화끈 달아올랐다. 은자 언니도 예분 언니도 나랑 똑같은지 연속극을 들으며 한숨을 쉬기도 하고, 애를 태우기도 했다.

"제발 명식과 영주가 잘 됐으면 좋겠다."

은자 언니가 작은 소리로 말했다. 나는 밤마다 이불 속으로 들어가기 전 명식이 뭍으로 돌아가지 말게 해 달라고 빌고 또 빌었다.

우리 세 여자가 〈섬마을 선생님〉에 빠져 있을 때, 제임스와 작은오빠는 여러 가지 놀이를 했다. 지난번에는 제임스가 체스를 가르쳐 주었고, 오늘은 작은오빠가 장기판을 갖고 와 제임스에게 가르쳐 주고 있다.

"아, 섬마을 선생님도 베트남 갔다 왔다고 했지? 우리 큰집 오빠도 베트남에 갔는데. 잘 있으려나?"

내 말에 장기에 빠져 있던 작은오빠가 중얼거렸다.

"베트남에서 돌아온 군인들이 전쟁 후유증으로 고생하고 있대. 뭔가에 홀린 듯 넋이 나가 있다던데?"

큰집의 윤기 오빠는 고등학교를 졸업하자마자 큰아버지의 성화에 못 이겨 베트남으로 갔다. 진짜 총을 갖고 베트콩과 싸우러 간다고 했다.

작년 어느 날, 줄집에 온 큰아버지는 윤기 오빠가 베트남에 가게 되었다고 말했다.

"미국의 은혜에 보답하는 길이다. 우리가 미국에 얼마나 많은 도움과 원조를 받았냐. 미국이 하는 일에 우리나라는 무조건 따라야 하는 거지. 그게 바로 의리라는 거다."

큰아버지가 말을 하는 동안 큰오빠의 얼굴이 이상하게 변했다. 목부터 벌게지더니 얼굴까지 금세 붉어졌다.

"왜 남의 나라 전쟁에 우리나라 청년들이 목숨을 바쳐야 합니까? 전쟁터에 몰아넣는 걸 어떻게 의리라고 할 수 있죠?"

큰오빠의 말에 큰아버지가 당황스러운 표정을 지었다.

"미국이 우리나라를 도와줬으니 우리도 도와주는 게 당연한 일 아니냐!"

"왜 우리와 아무 상관 없는 베트남 전쟁에 뛰어들어야 하냔 말입니다. 미국이 벌인 전쟁에 왜 우리가? 이제 우리나라도 미국의 손아귀에서 벗어나 자주의 길을 걸어야 할 때입니다!"

"뭐라고? 공부하라고 학비 대줬더니만 완전 빨갱이 사상으로 물들었네. 미국은 우리에게 큰 은혜를 베풀었어. 그러니 이제 우리가 그 은혜를 갚을 때라고!"

"은혜라고요? 그들은 약소국을 노리는 제국주의자일 뿐입니다. 큰아버지는 그들의 앞잡이고요!"

큰아버지가 큰오빠의 따귀를 힘껏 내리쳤다.

"내가 사람을 잘못 보았구나. 빨갱이 사상을 지닌 놈에게 학비를 대주고 있었다니!"

그리고 학비가 끊어졌다.

"아이고, 이제 어떡하냐? 명기는 장학금을 받으니까 걱정이 없지만 웅기 너는 무슨 수로 학비를 내냐?"

엄마가 하늘이 무너져 내린 듯 방바닥에 주저앉았다. 큰아버지는 오빠들의 자금줄이었는데 그 자금줄이 끊어졌으니 엄마에게는 충격이었을 거다.

내가 그날 일을 자세하게 얘기하자, 예분 언니가 조심스럽게 말을 꺼냈다.

"제임스가 그러는데 미국에서도 베트남전을 반대하는 사람들이 많대. 애꿎은 청년들을 전쟁터에 몰아넣는 건 옳지 않다고 생각하기 때문이래."

"미국 대통령은 이상해. 자기네 나라 사람들이나 보내지 왜 우리나라 남자들까지."

내 말에 은자 언니가 조심스럽게 말했다.

"우리나라 청년들이 베트남에 가는 건, 우리가 힘이 약해서가 아닐까?"

그때 작은오빠가 툭 나섰다.

"그래서 난 중학교만 졸업하면 취직할 거야. 우리가 힘이 약한 건 돈이 없어서야. 그러니까 돈이 바로 힘이라고!"

'돈이 힘이라고! 공부를 해야 힘이 생기는 거 아닌가? 아는 것이 힘이다.'라는 말도 있잖은가. 나는 작은오빠를 향해 인상을 썼다.

"그러나저러나 네가 어떻게 돈을 벌어?"

가만히 듣고만 있던 예분 언니가 한마디 했다.

"어차피 고등학교 가기는 글렀으니 미군 부대에 취직해 보려고요. 돈을 벌어서 우선 동생들 공부부터 시키고."

"미군 부대 취직하기가 얼마나 어려운데. 더구나 너 같은 꼬맹이가."

"누나, 꼬맹이 꼬맹이 하지 말아요. 이렇게 덩치 큰 꼬맹이 보셨어요?"

작은오빠가 자기 배를 탕탕 쳤다. 둥둥, 배 속에서 북소리가 났다. 작은오빠는 우량아로 태어났다. 그래서 줄집 사람들도, 조산원에서도 모두 쌍둥이가 나올 거로 알았다.

"니네 엄마는 교육열이 엄청 대단한 사람인데 네가 학교 그만두고 취직하는 걸 허락할까?"

예분 언니의 말에 작은오빠가 흠칫했다. 엄마는 양공주에게 월세를 주었다고 화선 엄마와 한동안 말도 안 했다. 예분 언니와 제임스가 인사를 해도 못 본 척 유령 취급했다.

"브로커를 통하면 할 수 있다던데?"

내 말에 은자 언니와 예분 언니가 동시에 물었다.

"너는 그걸 어떻게 알았어?"

"어른들이 얘기하는 거 듣고 알았지."

"근데 너 브로커라는 뜻이 뭔지는 알고 지껄이는 거냐?"

작은오빠의 말투가 기분 나빴지만 참기로 했다.

"뭐긴 뭐야? 중간에 알선해 주는 사람이지. 엄마에게 석탄 팔라고 선로반에 소개해 준 4호집 아주머니 같은 사람. 물론 공짜로는 절대 안 되지. 돈 좀 써야 할걸?"

"우리 집에 그런 돈이 어딨어?"

작은오빠가 실망한 듯 고개를 푹 숙였다.

"예분 누나, 제임스에게 부탁해서 나 좀 미군 부대에 취직시켜 주세요."

"공부도 다 때가 있는 거야. 아무 소리 말고 고등학교에 들어가서 공부해."

"누나도 짐작했겠지만 우리 집 형편으로는 형 하나 공부시키는 것도 힘들어요. 그러니까 공부에 취미가 없는 나 같은 아이가 돈을 벌어야 한다는 말이죠."

"공부를 무슨 취미로 하니?"

듣고만 있던 은자 언니가 한마디 했다. 그러자 작은오빠가 미안한 듯 머리를 긁적였다. 은자 언니 말에 절절매는 작은오빠의 모습이 좀 웃겼다.

"동생들 공부는 꼭 제가 시키고 싶어요."

그때 제임스가 예분 언니에게 손짓을 했다. 제임스는 짧은 한국 생활이지만 한국말을 대충 알아들었다. 떠듬떠듬 한국말로는 자기가 하고픈 말이 어려울 거라고 생각했는지 제임스는 영어로 말했다. 뭔지 모르지만 진지한 분위기였다. 잠시 후, 예분 언니가 제임스의 말을 전했다.

"제임스가 우리 하는 말을 대충 알아들었나 봐. 네가 하우스뽀이를 하면 좋겠다는데? 마침 자기가 근무하는 병원 군의관이 하우스뽀이를 구하고 있대."

제임스는 애스컴 안에 있는 121후송병원에서 일하고 있다.

"그래요? 하우스뽀이에 대해서는 듣긴 들었는데 좀 더 자세히 알고 싶어요."

"주로 군복을 다려주거나 구두를 닦고 숙소 청소와 심부름을 해. 일을 잘 하면 팁도 받을 수 있는데 어떤 땐 팁이 월급보다 많기도 해."

예분 언니의 말에 작은오빠가 제임스에게 바짝 다가가 앉으며 말했다.

"제임스, 부탁해요. 나, 그거 하고 싶어요. 플리즈."

두 손까지 마주잡고 사정하는 작은오빠의 모습에 제임스가 걱정 말라는 듯 엄지를 치켜올렸다. 나는 작은오빠의 꿍꿍이를 알아챘다. 예분 언니가 심각한 얼굴로 고개를 저었다.

"근데 니네 엄마가 허락하지 않을걸?"

미군의 날

나는 이제 5학년이 되었고 내 뒤를 졸졸 따라다니는 막내 정기도 3학년이 되었다. 정기는 막내로 태어났지만 뭐든지 알아서 잘하는 애다.

그즈음 나는 가끔 어지러웠다. 눈앞이 캄캄해질 때도 있었다. 내가 휘청거릴 때마다 엄마는 별일 아니라는 듯 말했다.

"입이 짧아서 잘 안 먹으니까 그런 거야. 네 동생 반만 닮아 봐라."

그러면서 엄마는 큰오빠가 먹는 비타민을 하나 꺼내 주었다.

"그거 뭔데 언니만 주는 거야. 나도 먹을 거야."

정기가 다가와서 내 손안에 든 비타민을 낚아챘다. 엄마가 바닥에 깔린 비타민을 보며 한숨을 쉬었다. 큰오빠를 위해 큰맘 먹고 깡시장 가는 길에 있는 수보당약국에 가서 사 온 것이다. 엄마가 비타민 한 알을 다시 꺼내 주었다. 비타민을 입에 넣으니 어지럼증이 사라진 듯했다.

봄이 무르익어 갈 무렵, 아버지가 요양원에서 돌아왔다. 아버지는 폐결핵을 물리쳤다는데 왠지 힘이 하나도 없어 보였다. 얼굴은 더 창백해졌고 없었던 신경질이 늘어났다. 하릴없이 아랫목에 누워 있는 아버지를 보던 엄마가 어느 날 결심한 듯 집을 나가 뉘엿뉘엿 지는 해를 머리에 이고 돌아왔다.

"옛날 일제 강점기 때 군수 공장 있던 자리에 숟가락 공장이 들어섰다네요. 숟가락도 만들고 스텐 그릇도 만들고 못 만드는 게 없대요. 내일부터 거기에 다니기로 했어요. 아이들 공부는 어떻게든 시켜야 하잖아요."

엄마 말에 아버지가 말없이 밖으로 나갔다.

"그러니까 이제 선기는 동생 잘 돌보고."

분위기가 착 가라앉았다. 큰오빠는 아무 말 없이 밥만 먹었고, 어느새 밥을 다 먹은 작은오빠가 결심한 듯 말했다.

"나, 학교 그만두고 돈 벌래요."

"쓸데없는 소리 하지 마! 어떡하든 고등학교는 마쳐야지."

"쓸데없는 소리가 아니라고요. 하우스보이가 되면……."

작은오빠 말이 끝나기도 전에 아버지가 들어왔다. 엄마와 큰오빠, 작은오빠, 나는 약속이나 한 듯 입을 다물었다. 철모르는 동생만 재잘재잘 노래를 불렀다. 아버지는 잔뜩 화난 사람 같았다. 아버지는 왜 화가 난 걸까? 표정만으로도 집안 분위기를 무겁게 하는 아버지가 미웠다.

그때 밖에서 기타 줄 맞추는 소리가 났다. 10호집에 새로 이사온 재학이 오빠는 기타를 친다. 엄마는 '딴따라'라면서 질색을 했지만 나는 기타 소리도 좋았고 알 수 없는 음악도 좋았다. 재학이 오빠가 속한 밴드는 연습할 곳이 없어 줄집 마당에서 연습을 한다. 드럼 담당 오빠는 그냥 막대기 두 개만 들고 와서 치는 시늉만 한다. 드럼이 너무 비싸 살 수가 없어서 그냥 그렇게 연습하는 것이라고 한다. 줄집마을 사람들은 원하든 원하지 않든 미군이 좋아하는 음악을 자주 듣게 되었다.

"아, 김치스 밴드 연습한다."

나는 벌떡 일어나 밖으로 나갔다. 벌써 사람들이 많이 모여 있다. 모인 사람 중에 예분 언니와 제임스도 있었다. 두 사람을 보고 줄집 아주머니와 아저씨들이 손가락질을 하며 숙덕숙덕 귓속말을 했다. 나는 보란 듯이 예분 언니에게 다가가 팔짱을 꼈다. 내 모습을 본 은자 언니는 예분 언니의 다른 쪽 팔에 팔짱을 꼈다.

"제임스, 오늘은 우리 둘에게 예분 언니를 양보하세요."

내 말을 알아들었는지 제임스가 고개를 끄덕였다.

김치스 밴드 연습이 끝나자, 제임스가 나와 은자 언니, 재학이 오빠를 초대했다. 우리는 예분 언니네 집으로 우르르 몰려갔다. 제임스가 준비한 간식을 먹으며 이야기를 나누었다.

"내 꿈은 미8군 무대에 서는 거야. 지금은 오픈 밴드에서 연주하며 겨우겨우 생계를 잇지만 언젠가 실력을 인정받아 플로어 밴드나 하우스 밴드로 진출하면 돈도 많이 벌 수 있을 거야."

음악 하는 사람들은 애스컴 안에 있는 미8군 무대에 서고 싶어 한다. 그러니까 밴드에도 1등, 2등, 3등이 있다는 것이다. 플로어 밴드는 1등, 하우스 밴드는 2등, 오픈 밴드는 3등. 재학이 오빠가 속한 밴드 김치스는 3등이라는 소리다. 1등, 2등 밴드가 사정상 연주를 하지 못할 경우 3등 밴드가 땜빵으로 나갈 수 있는데 그때 실력을 인정받으면 곧바로 2등이 될 수도 있고 1등도 될 수 있다고 한다.

"신중현 같은 전설적인 기타리스트는 도시에서 일하는 사람의 4배가 되는 월급을 받고 있대."

재학이 오빠가 흥분한 얼굴로 말했다.

"오빠도 곧 무대에 설 수 있을 거야."

은자 언니의 말에 재학이 오빠가 히죽 웃었다. 그러더니 금세 표정이 우울해졌다.

"새촌마을에 가면 양공주 이모들을 많이 만나는데……. 볼 때마다 너무 힘들고 괴로워."

새촌마을은 애스컴 정문 바로 길 건너에 있다. 미군을 상대로 한 가게들이 즐비하고 골목골목마다 양공주들이 세 들어 사는 집들이 많은 곳이다.

"오빠, 그게 무슨 소리야?"

"미군들이 다 제임스 같지는 않아. 양공주를 힘들게 하는 못된 미군들이 너무 많아."

재학이 오빠의 말에 예분 언니가 떨리는 목소리로 말했다.

"돈을 벌기 위해 어쩔 수 없이 양공주가 된 여자들이 집안 식구들에게 외면당하는 일은 아주 흔해. 나도 예외는 아니었어."

예분 언니는 한동안 집에도 가지 못했다고 했다.

"지금은 우리 부모님도 마음이 많이 바뀌었어. 제임스를 보고 나서 착한 사람이라는 걸 알게 되었거든. 그런데 주위를 보면 나쁜 미군들도 꽤 많은 것 같아. 고통받는 여자들 얘기를 들을 때마다 가슴이 찢어지는 것 같아."

그러면서 예분 언니가 눈물을 흘렸다. 제임스가 다가와 예분 언니의 눈물을 닦아 주었다. 나는 예분 언니를 꼭 껴안아 주었다.

"여기 줄집에 이사 와서 선기와 은자 너희 둘을 만나 행복했어.

그런데 우리 곧 떠나."

"진짜로 미국 가는 거야?"

내 말에 예분 언니가 고개를 끄덕였다. 제임스가 커다란 두 눈을 끔벅끔벅했다. 눈으로도 환하게 웃을 수 있다는 걸 처음 알았다.

그 후로 나는 더 자주 예분 언니네 들락거렸다. 예분 언니에게서 미국에 관한 이야기도 듣고, 제임스에 관한 이야기도 들으면서 애스컴이 자꾸만 궁금해졌다. 애스컴은 어떤 곳일까? 그 안에는 뭐가 있고 어떤 일이 벌어지고 있을까? 그런 내 호기심을 충족시켜 준 사람은 1호집 아저씨다. 아저씨는 내가 가 보지 못한 세계를 실감나게 이야기해 주곤 했다.

어느 날, 아저씨가 작은오빠와 나를 부르더니 뜻밖의 이야기를 했다.

"조금 있으면 미국 독립기념일이란다. 그날이 '미군의 날'이어서 부대 안을 구경할 수 있는데 너희들, 한번 가 볼래?"

아저씨의 말을 듣자마자 작은오빠가 잽싸게 대답했다.

"아저씨, 저 갈래요. 꼭 데리고 가 주세요."

"저도요!"

질세라 나도 대답했다.

"그런데 네 엄마가 허락할지 모르겠다."

아저씨의 말에 분위기가 착 가라앉았다. 그건 그렇다. 그런데 무슨 일인지 엄마가 의외로 쉽게 허락을 해 주었고, 그 대신 아버지에게는 절대 비밀이라고 했다. 공장에 다니면서 엄마는 많이 변했다. 미군과 양공주에 대해서도 조금 너그러워졌다.

드디어 그날이 왔다. 작은오빠와 나는 아저씨와 함께 철로 건너 애스컴 정문까지 걸어가 안으로 들어가는 버스를 탔다.

"버스를 탈 정도로 미군 부대가 넓은가 봐요."

작은오빠가 신기한 듯 주위를 둘레둘레 돌아보았다. 아저씨가 신이 나서 말했다.

"그럼! 그러니까 버스를 타고 들어가는 거지."

정문이 열리고 무섭게 생긴 헌병이 버스에 올라 신분증을 일일이 확인했다. 지은 죄도 없는데 무서웠다. 나는 작은오빠의 손을 꼭 잡았다. 잠시 후 버스가 출발하고, 커다란 건물 앞에 섰다.

"벌써 파티가 시작됐나 보다."

아저씨가 들뜬 목소리로 말했다. 안에서 들리는 소리에 호기심이 일었다. 아저씨가 문을 열었다. 귀청을 때리는 시끄러운 음악 소리에 혼이 다 빠질 지경이었다. 한쪽에는 갖가지 음식이 차려져 있고 키 크고 뚱뚱한 미군들이 가득했다. 음식을 먹는 사람, 가운데에서 춤을 추는 사람, 이야기를 하고 있는 사람, 담배를 물고 있는 사람. 죄다 미군들이었다.

아저씨가 두리번거리며 아는 얼굴을 찾더니 창가에 앉아 있는 미군들 쪽으로 다가갔다.

"하이!"

아저씨의 인사에 미군들이 반가운 얼굴로 맞이했다.

"헬로! 미스터 킴."

"유어 도터 앤 썬?"

미군들의 질문에 아저씨가 고개를 흔들며 대답했다.

"노우! 마이 프렌드."

"프렌드! 리얼리?"

미군들이 놀란 얼굴로 나와 작은오빠를 쳐다보았고 우리 둘은 그렇다고 고개를 끄덕였다. 미군들은 하나같이 뚱뚱했다. 얼굴에는 기름기가 흘렀다. 줄집마을에서 보던 남자들보다 키가 컸고 얼굴이 하얗고 눈이 엄청 컸다. 쌍까풀이 있고 걷어 올린 두 팔뚝에서 노란 털들이 춤을 췄다.

"오, 프리티!"

한 미군이 얼굴 가득 웃음기를 띠고 말했다.

"선기야, 이것 좀 먹어 봐."

작은오빠가 한쪽에 풍성하게 차려진 음식 쪽으로 나를 데리고 갔다. 하지만 나는 아무것도 먹을 수 없었다. 기름기 잘잘 흐르는 푸짐한 음식을 보자마자 식욕이 십 리 밖으로 달아났다.

"이런 거 평생 맛볼 수도 없는 음식들이야. 이럴 때 실컷 먹어야지."

작은오빠는 음식에 입도 안 대는 나를 안타까운 듯 쳐다보았다. 그곳에는 음식이 넘쳐났고, 웃음이 넘쳐났고, 알 수 없는 음악이 넘쳐났다. 음악에 맞춰 몸을 흔들고 있는 미군들의 모습은 정말 신기했다. 나는 춤추는 미군들을 구경하다가 무대 쪽으로 고개를 돌렸다. 무대 위에서 연주를 하고 있는 사람들 속에서 낯익은 얼굴을 발견하고 깜짝 놀랐다. 10호집 재학이 오빠가 기타를 치고 있었다. 반짝거리는 옷을 입고, 몸을 흔들며 기타를 치고 있는 남자는 분명 재학이 오빠였다. 기분이 묘했다. 축하할 일인데 쓸쓸한 느낌이 들었다. 재학이 오빠도 돈을 좀 벌겠구나. 그건 곧 줄집을 떠난다는 신호였다. 그래도 재학이 오빠가 있는 김치스 밴드가 3등이 아닌 2등이 되었다는 생각에 기분이 좋았다.

집에 돌아오는 내내 구름 위에 둥둥 떠 있는 듯했다. 그런데 집에 돌아오니 부엌에 서 있던 엄마가 속삭였다.

"아버지가 너희 둘이 미군 부대에 놀러 간 걸 알았다. 무조건 잘못했다고 빌어라."

방으로 들어가니 아버지가 나와 작은오빠를 노려보았다.

"그래, 공부는 팽개치고 양키들 파티에 갔다 온 기분이 어떠냐?"

아버지의 말에 작은오빠가 큰 소리로 대답했다.

"공부가 다는 아니라고 생각합니다."

"공부 안 하면 도대체 뭐 할 건데?"

"돈을 벌 겁니다!"

"네깟 놈이 돈을 번다고! 할 줄 아는 게 뭐가 있다고!"

"굼벵이도 구르는 재주가 있다고 했습니다."

아버지의 말에 작은오빠가 따박따박 말대꾸를 했다. 큰오빠는 윗방에서 죽은 듯이 책을 들여다보고 있고, 엄마는 숨죽여 울고 있었다.

"애비가 돈 못 벌어 온다고 이 애비를 무시해?"

"무시하는 게 아니고 저는 현실을 얘기하고 있는 겁니다. 공부하는 사람은 형 하나로 족하다는 겁니다. 백날 해도 안 되는 공부를 하느니 차라리 취직을 하겠습니다."

"뭐라고? 네깟 놈이 무슨 실력으로 취직을 하겠다는 거야? 취직이 그렇게 쉬운 일인 줄 알아?"

"저도 압니다. 취직이 어렵다는 것은. 그래도 해 볼 겁니다. 내년이면 형도 대학을 가야 하고, 몇 년 있으면 선기도 중학교에 가야 합니다. 엄마가 고생하는 것도 이젠 보기 힘들고요. 하우스뽀이가 될 겁니다."

"고작 하우스뽀이가 되겠다고 공부를 집어치우겠다는 거야?"

"하우스뽀이가 어때서요? 직업에 귀천이 어디 있어요?"

아버지가 몽둥이를 집어 들어 작은오빠를 향해 휘둘렀다. 하지만 그전에 먼저 작은오빠가 몽둥이를 잡아챘고, 아버지는 휘청거리며 방바닥에 픽 쓰러졌다. 그 모습이 마치 너른 들판에 하릴없이 서 있다 세찬 바람에 맥없이 쓰러지는 허수아비 같았다. 고등학교 1학년이 된 작은오빠는 아버지 키를 훌쩍 넘어 있었다. 몸집도 아버지의 두 배는 되어 보였다.

잔인한
그해 여름

불가마 같은 여름이 쳐들어왔다. 더워서 견딜 수 없을 때면 줄 집 아이들은 삼삼오오 모여 길을 떠난다. 새촌마을 옆을 흐르는 굴포천으로 물놀이를 하러 간다. 얕은 곳은 어린아이 종아리 정도이고 깊은 곳이라야 허리 정도 깊어서 굴포천에 놀러 가는 것에 어른들은 크게 신경을 쓰지 않는다. 냇물 위를 지나는 철로를 따라 시꺼먼 연기를 뿜으며 기차가 지나가면 아이들은 일제히 일어나 만세를 부른다. 기찻길 옆에 살지만 기차 보는 건 쉽지 않은 일이다.

기차를 볼 때마다 4호집이 생각난다. 기관사로 승진된 아저씨와 엄마에게 석탄 장수를 권유했던 아주머니 그리고 우표 수집을 했던 용팔이. 아저씨가 기관사로 승진되고 다른 곳으로 발령을 받아서 용팔이네는 줄집을 떠났다.

작년까지 신나서 했던 굴포천 물놀이가 이젠 시시하게 느껴졌다. 아버지가 건강했을 때는 여름이면 멀리 염전까지 갔다. 기운이 다 빠질 때까지 걷다 보면 저 멀리 햇빛에 반짝이는 물고기 비늘 같은 바다가 눈앞에 펼쳐졌다.

"짠물에 몸을 담그면 부스럼이 안 난다. 목까지 푹 담가라."

아버지가 염전을 찾는 이유였다. 부스럼이 나면 약을 사야 하고, 그러면 돈이 들기 때문이다. 한참 놀다 배에서 꼬르륵 소리가 날 때쯤이면 아버지는 오이지를 바닷물에 씻어 보리밥과 함께 우리 앞에 내놓았다. 나는 수영복을 입고 고무 튜브를 타는 여자아이를 쳐다보았다.

"재네 집은 오이지 안 싸 왔을 거야."

내 말에 작은오빠가 통박을 주듯 말했다.

"수영복도 있고 튜브도 갖고 온 걸 보니 부잣집이야. 부잣집 애들은 오이지 안 먹어. 아마 김밥 싸 왔을걸?"

일 년에 한 번 먹을까 말까 한 김밥 생각을 하면서 침을 꼴깍 삼켰다.

여름 방학이 되었지만, 어제가 오늘 같고 오늘은 어제 같은 똑같은 날들이 이어졌다. 9호집에 가니 은석이는 놀러 나갔고 은자 언니 혼자 어둑한 부엌에 쪼그리고 앉아 책을 읽고 있었다. 언니가 들고 있는 책이 낯익었다.

"이거 너희 큰오빠가 학교 도서관에서 빌려다 준 책이야."

며칠 전부터 큰오빠가 읽던 《한하운 시초》라는 책이었다.

"우리 더우니까 공동 수도에 가서 발 담그고 있을까?"

언니와 나는 공동 수돗가에 가서 대야에 물을 가득 채우고는 두 발을 담갔다. 밤솔산에서 불어오는 바람이 제법 시원했다.

"이 중에서 내가 제일 좋아하는 시 읽어 줄게. 잘 들어 봐."

언니가 나붓나붓한 목소리로 시를 읽어 내려갔다.

전라도 길 - 소록도로 가는 길에 -

가도 가도 붉은 황톳길
숨막히는 더위 뿐이더라.

낯선 친구 만나면
우리들 문둥이끼리 반갑다.

천안 삼거리를 지나도
쑤세미같은 해는 서산에 남는데

가도 가도 붉은 황톳길
숨막히는 더위속으로 쩔룸거리며
가는 길…….

신을 벗으면
버드나무 밑에서 지까다비를 벗으면
발가락이 또 한개 없다.

앞으로 남은 두개의 발가락이 잘릴때까지
가도 가도 천리 먼 전라도 길.

언니가 시를 다 읽자 내가 시무룩하게 말했다.
"언니, 왜 이렇게 슬픈 시를 읽는 거야?"
"선기야, 너 문둥병이라고 들어 봤지?"
"응, 어른들이 저기 저 밤솔산 넘어가면 그곳에 문둥이들이 산다고 그랬잖아."

"맞아. 이 시를 지은 시인도 그곳에 살고 있어. 나라에서 소록도라는 섬에 한센병 환자들을 강제 격리시켰는데, 아마도 이 시는 그곳에 내려가던 중에 있었던 일을 쓴 것 같아."

언니가 다시 말을 이었다.

"무슨 죄를 지었기에 한센병을 앓는 걸까? 나는 이 시를 보면 우리 민족과 자꾸 겹쳐 보여."

"그게 무슨 소리야?"

"한센병을 앓는 시인의 입장이 꼭 우리나라의 처지 같단 소리야. 발가락이 잘려 나가는 천형을 앓는 주인공의 신세가 외세의 힘에 억눌려 모든 것을 빼앗기고 사는 우리 민족과 비슷하단 거지. 근데 이 시를 지은 그 사람이 바로 밤솔산 너머 공동묘지 근처에 살고 있다니까 너무 신기해. 그리고 언젠가 그 시인을 꼭 한번 만나 보고 싶어."

언니의 말을 들으면서 생각했다.

'언니 같은 사람이 공부를 계속해야 하는데.'

그때 화선이가 빨강 파랑 노랑이 섞인 튜브를 허리에 끼고 깡충깡충 토끼처럼 뛰어왔다. 염전에서 봤던 부잣집 여자아이가 수영복을 입고 끼었던 튜브랑 비슷한 거다.

"선기야, 우리 송도해수욕장으로 놀러 간다. 나, 수영복도 샀어."

"정말?"

나는 대야에 있던 발을 슬며시 뺐다. 대야에 발을 담그고 있는 모습이 왠지 부끄러웠다.

"누구랑 가는 거야? 엄마, 아버지랑?"

"아니! 엄마, 아버지는 가기 싫대. 화주 언니랑 종갑이 오빠, 나 그리고 화영이 이렇게 넷이서 가는 거야. 종갑이 오빠는 가기 싫다는데 화주 언니가 방학 숙제 대신해 준다고 하면서 꼬셨어. 종갑이 오빠가 가야 엄마가 맛있는 것도 많이 싸 주고 용돈도 많이 주거든."

종갑이 오빠는 5대 독자여서 귀한 대접을 받고 있다.

"좋겠다."

나는 그 말을 하면서 화선이가 허리에 끼고 온 튜브를 손가락으로 꾹 눌렀다. 그랬더니 화선이가 인상을 팍 썼다.

"야, 그만 만져! 그러다 구멍 나면 어떡하라고! 너 가고 싶어서 그러지? 나한테 잘 보이면 너 한 명쯤은 데리고 갈 수 있는데."

하마터면 '그래, 나도 데리고 가 주라.'라는 말이 목구멍을 넘어올 뻔했다. 말로만 듣던 송도해수욕장이 어떻게 생겼는지 너무나 궁금했다.

나는 불에 덴 듯 손을 뗐다. 화선이 비위를 맞추고 싶은 생각은 추호도 없었다.

화선이가 떠나고, 뭔가 재미있는 일이 없을까 궁리를 했다. 갑자기 어른들이 자주 하던 말이 떠올랐다.

"문둥이가 병을 고치기 위해 어린아이를 잡아먹으니까 밤솔산을 넘어가면 안 된다."

가지 말라고 하니까 갑자기 밤솔산 너머가 궁금했다. 그 너머에는 어떤 사람들이 살고 있을까? 문둥이가 진짜로 아이들을 잡아먹을까?

"언니가 호박 넣고 부침개 만들어 줄게."

"좋아, 언니! 그럼 우리 금옥 언니도 불러서 같이 먹자. 예분 언니도 부를까?"

언니의 얼굴이 흐려졌다.

"예분 언니는 미국 갈 준비로 바쁘고, 금옥이는 요즘 아파서 꼼짝도 못 해."

"왜? 어디가 아픈데?"

"병원에 갔는데 의사도 모르겠다고 했대. 아마 신병인지도……."

언니가 뒷말을 흐렸다. 은자 언니는 여자라서 중학교에 가지 못했다. 금옥 언니는 무당 딸로 태어나서 신병을 앓고 있다. 그렇게 생각하니 갑자기 화가 났다.

"언니, 여자로 태어난 거 어떻게 생각해?"

"생각 안 해 봤는데?"

"난, 화 나."

"그러지 말아, 선기야. 여자가 얼마나 위대한 존재인데. 예수님을 낳은 사람도, 부처님을 낳은 사람도 다 여자야."

"칫, 그게 뭐!"

"여자가 없으면 애초에 남자는 존재할 수 없다는 거지! 자부심을 가져도 돼, 박선기!"

"나는 여자라고 해서 절대로 기죽지 않을 거야."

"그럼! 그럼! 천하의 박선기는 절대 그러지 않지!"

나는 어이가 없어 픽 웃었다.

"와, 박선기 웃었다! 이제 괜찮지? 언니가 부침개 만들어 줄 테니까 먹고 가."

언니랑 있으면 화나는 일도, 속상한 일도 다 별일 아닌 일이 되어 버린다.

은자 언니가 만들어 준 호박 부침개를 먹고, 뒹굴뒹굴 누워서 만화책을 보았다. 그런데 자꾸만 놀러 간 화선이 생각이 났다. 파도치는 바닷물에 몸을 담그면 얼마나 기분이 좋을까? 화선이는 수영하고 나서 김밥을 먹을 거야. 그런 생각을 하고 있는데 학교 근처에 새로 생긴 만화방으로 만화를 빌리러 갔던 은석이가 헐레벌떡 뛰어 들어왔다.

"누나, 누나! 물에 빠져 죽었대!"

"누가?"

은자 누나가 되묻자 은석이가 고개를 저었다.

"그건 모르겠는데 해수욕장에서 사람이 죽었대."

밖으로 나가 보니 공동변소 근처에 사람들이 모여 있었다.

"심장마비로 죽었다며!"

"물에 들어가자마자 변을 당했대."

"누가요?"

내 목소리가 떨렸다. 사람들이 나를 쳐다본 순간 갑자기 너무 너무 무서웠다. 대답을 듣고 싶지 않았다. 나는 윗마을 화선이네로 달려갔다. 사람들이 모여 있는 걸 본 순간 다리에 힘이 풀려 그 자리에 털썩 주저앉았다.

'설마 화선이가?'

집 안에서 울음소리가 들렸다. 화선이 엄마의 찢어질 듯한 통곡 소리가 들렸다.

"아이고, 종갑아! 종갑아! 나는 어떻게 살라고!"

사람들이 숙덕거리는 소리가 들렸다. 종갑이 오빠는 내 친구 화선이 오빠로 사 남매의 둘째다.

"아이고, 5대 독자라고 금이야 옥이야 키웠는데."

"하필이면 종갑이가 죽을 게 뭐람."

그 소리에 나는 벌떡 일어나 외쳤다.

"그럼, 누가 죽어야 한다는 거예요? 여자가 죽었어야 한다는 거예요?"

"아니, 그게 아니고……. 손 귀한 집에 아들이 죽었으니 안타까워하는 소리지."

독기 오른 내 모습에 사람들이 주춤주춤 뒤로 물러섰다.

잠시 후, 화선이 엄마가 화주 언니 머리끄덩이를 잡고 밖으로 나왔다.

"그렇게 가기 싫다고 하는 아이를 네년이 기어이 꼬드겨서 데리고 가서는 이 꼴을 만들어? 당장 내 눈에서 사라져!"

화주 언니 몰골이 말이 아니었다. 눈은 울어서 퉁퉁 부었고 머리는 온통 산발이었다. 화선이와 동생 화영이는 제 엄마의 기세에 놀라 한쪽 구석에서 바들바들 떨며 울고 있었다.

"아이고, 화선 엄마! 이러지 말아. 애가 무슨 잘못이 있다고!"

아주머니들이 화선이 엄마를 화주 언니에게서 떼어놓았다. 내 뒤를 쫓아온 은자 언니가 화주 언니를 부축했다.

화선이 엄마는 계속 울부짖더니 결국 그 자리에 쓰러졌다. 해수욕장에 안 가겠다고 하는 걸 화주 언니가 함께 가자고 꼬셨다는 얘기는 화선이에게 이미 들어 알고 있다. 하지만 도착하자마자 종갑이 오빠는 물속으로 달려 들어갔고, 심장마비로 그 자리에서 죽었다고 했다. 그게 왜 화주 언니 탓일까? 화선이 엄마는 종갑이를 죽인 게 화주 언니라고 생각하는 게 분명했다.

며칠 뒤 화선이네 집에서 굿판이 벌어졌다. 물에 빠져 죽은 사람의 영혼을 건져 올리는 굿이었다. 동백기름을 바른 매끈한 쪽진머리와 깨끗한 한복을 입은 큰무당 아주머니가 화선이네 집으로 갔다.

나는 굿 구경을 하지 못했다. 그동안 굿 구경을 많이 했지만 이번에는 하고 싶지 않았다. 굿이 끝났다는 소식에 나는 화선이에게 달려가 말했다.

"종갑이 오빠는 착해서 하늘나라로 갔어."

화선이는 눈물을 흘리며 고개를 끄덕였다. 화선이의 큰 눈이 며칠 사이 더 커졌다.

며칠 뒤 또 한 번의 굿이 벌어졌는데 이번에는 누구도 볼 수 없었다. 먼 곳에 가서 다른 무당의 감독 아래 벌어지는 굿이기 때문이다. 신들린 사람에게 있을지도 모르는 잡귀·잡신을 벗겨내는 '허주굿'을 한 다음, 곧이어 새로운 무당을 탄생시키는 내림굿을 할 거라고 했다.

어렸을 적에는 굿판이 자주 벌어졌다. 누가 아프다거나, 누가 죽었거나 하면 한바탕 굿이 벌어지곤 했다. 굿이 열린다는 소식이 온 동네에 퍼지면 마을 아주머니들은 없는 돈 만드느라 바빴다. 깊숙이 숨겨 놓은 쌈짓돈을 꺼내어 무당을 찾아가는 아주머니들도 있었다. 엄마도 마찬가지였다. 그동안 안 먹고 안 쓰고 모았던 귀한 쌈짓돈을 무당에게 덜컥 내밀었다. 엄마가 내민 돈을 받고 무당은 엄마에게 종이쪽지를 주었다. 종이쪽지에는 알 수 없는 그림이 가득했다. 그게 바로 자식들의 앞날이라는 것이다. 무당은 종이쪽지를 주면서 엄마에게 이런 말도 했다.

"그 집은 두 번째 자식이 일으킨다."

무당의 말에 엄마의 얼굴이 시무룩해지는 것을 나는 놓치지 않았다. 두 번째 자식이면 작은오빠인데, 작은오빠는 말도 안 듣고 공부도 안 하는데. 나는 고개를 갸우뚱했다.

"쉿! 아버지한테 말하면 안 된다."

엄마는 입단속을 했다. 어차피 나는 아버지에게 아무 말도 안 할 것이다. 아버지는 무당에게 돈을 갖다주는 것도 싫어하고, 무당의 말도 믿지 않을 것이다.

은자 언니네 집에 갔더니 은자 언니가 대성통곡하고 있었다.

"불쌍한 금옥이. 기어이 신내림을 받는구나. 공부 많이 해서 선생님이 되고 싶다고 했는데……."

내 눈에는 은자 언니가 더 불쌍해 보였다.

"언니, 울지 마."

나는 언니를 꽉 껴안았다. 그 순간 눈앞이 핑 돌더니 온 세상이 암흑으로 변했다.

영양실조

눈을 뜨니 온통 주위가 하얀 벽이었다. 어디선가 달가닥달가닥 쇠 부딪치는 소리가 들렸고, 낯선 냄새가 진동했다. 침대 위에서 무릎걸음으로 창가로 다가갔다. 성모자애병원이라고 쓰인 간판이 보였다.

"항아리 물만 먹는 아가씨, 병원 물은 먹을 만한가?"

뒤돌아보니 젊은 남자 의사 선생님이 활짝 웃고 있었다. 무슨 말인지 몰라 눈을 껌벅거렸더니 의사 선생님이 허리를 굽혀 눈을 맞추며 말했다.

"누군지 모르겠다는 표정인데? 항아리 물만 먹는 박선기 아가씨!"

하얀 가운의 왼쪽 가슴께 붙어 있는 이름표가 보였다.

"김, 절, 구."

"하하하, 김절구라고!"

젊은 의사 선생님이 구부렸던 허리를 펴며 너털웃음을 터트렸다.

"이참에 김절구라고 개명해야겠구먼, 김철구 선생!"

지나가던 머리가 허연 의사 선생님이 말했다. 눈을 크게 뜨고 다시 보니 아니었다. '철' 자를 '절'로 잘못 읽은 것이다. 아직도 어지러웠고 눈앞의 모든 것이 흐릿하게 보였다.

나는 줄집마을에서 최초로 성모자애병원에 입원한 아이였다. 성모병원은 미군 기지 안에 있는 121후송병원과 의료 보급창에서 각종 의약품과 의료 기구를 기증받아 운영하고 있다. 병원은 아프다고 해서 쉽게 갈 수 있는 곳이 아니었다. 견딜 수 없게 심하게 아플 때만 깡시장 가는 길에 있는 수보당약국에 가서 약을 사 먹었다. 아이들이 배앓이를 할 때면 엄마들은 보통 양귀비 달인 물을 먹였다. 집집마다 말린 양귀비가 매달려 있었다. 아픈데도 병원을 찾지 않아 손 한 번 써 보지 못하고 죽는 사람들도 많았다. 원인 모를 병에 시들거릴 때면 사람들은 무당을 불렀다. 금옥 언니의 엄마는 이 마을 저 마을 불려 다니느라 집에 있는 날이 드물었다.

줄집 사람들이 번갈아 가며 병문안을 왔다. 은자 언니는 내가 먹고 싶었던 크라운 산도를 들고 왔다.

"내가 왜 여기 온 건지 하나도 생각이 안 나."

내 말에 언니가 웃으며 이야기를 해 주었다.

"너, 우리 집에서 쓰러진 거 기억 안 나? 줄집 사람들은 모두 어찌할 줄 모르고 있었는데 제임스가 너를 둘러업고 성모병원으로 갔어. 너는 계속 혼수상태가 되어 헛소리를 해대고. 의사 선생님이 너를 안아 올리니까 게슴츠레 눈을 뜨더니 의사 선생님의 넥타이를 잡아 뜯어 먹으며 그러더래."

"내가 넥타이를 먹었다고?"

"진짜로 먹었겠냐? 먹는 시늉을 했겠지."

작은오빠가 퉁명스럽게 말했다.

"정말로 슬픈 목소리로 말하더래. '울 엄마가 맛있는 거 있으면 나는 안 주고 내 동생만 줘요.' 그 말을 들은 사람들이 일제히 네 엄마를 쳐다보았더래. 네 엄마는 졸지에 죄인이 된 거지. 솔직히 말해서 선기 너, 동생 태어나고 스트레스를 많이 받았나 봐. 겉으로는 아무 일도 없는 듯 이 집 저 집으로 다녔지만 속은 그렇지 않았던 거지."

"난 정말 아무렇지도 않았는데? 난 그냥 원래 돌아다니는 걸 좋아하는 아이잖아."

아무렇지 않은 척 태연하게 말하는 나를 보고 언니가 말했다.

"그래, 그래. 너는 그랬겠지. 그렇지만 또 다른 너는 엄마가 그리웠던 거야."

은자 언니 말에 의하면 사람은 여러 가지의 자아라는 게 있어서 상황에 따라 모습을 바꾼다고 했다. 어떤 책에서 읽었다고 했다.

"그러고 나서 네가 중얼거리더래. '항아리 물 주세요. 항아리 물.' 그러자 니네 엄마가 황급히 나가 가장 가까운 곳에 있는 물을 갖고 와 먹여 주니 고개를 흔들며 슬프게 말하더래. '이건 항아리 물이 아니에요. 제발 항아리 물을 주세요.' 그래서 다시 니네 엄마가 집까지 달려가 항아리 물을 떠 왔지 뭐야. 그랬더니 얌전히 받아 마시더군. 쪼끄만 게 항아리에 든 물이 더 좋고 맛있다는 건 어떻게 알아서."

그러면서 언니가 내 머리를 쓰다듬어 주었다. 나는 정말 두 개의 자아가 있는 것일까? 엄마의 품을 그리워하는 또 다른 내가 있다는 게 왠지 낯설었다.

저녁이면 언니는 집으로 돌아간다. 그러면 나는 혼자 남는 게 너무 쓸쓸했다.

"언니, 나랑 같이 자면 안 돼? 언니는 나랑 침대에서 자고, 은석이는 저기서 자고."

내가 보조 침대를 가리키자 언니가 잠시 생각에 잠겼다.

"은석아, 너는 아버지가 아무리 많이 취해도 때리지 않으니까 집에 가서 편히 자는 게 좋겠어. 가다가 사탕 사 먹어."

언니가 동전 한 개를 은석이 손에 쥐여 주었다. 은석이가 가고 난 뒤 언니는 내 옆에 누웠다.

"집에 가기 싫어. 날마다 술 냄새 풍기는 아버지가 정말 싫어."

은자 언니는 처음엔 집 나간 엄마를 원망했지만 지금은 충분히 이해가 간다면서 엄마가 어디에서든 잘 살았으면 좋겠다고 했다.

"언젠가 만날 날이 있겠지. 그때가 언제인지는 모르겠지만……."

언니가 중얼거렸다. 나보다 다섯 살 많은 언니는 꼭 엄마처럼 포근하고 다정했다.

"제임스 아니었으면 정말 큰일 날 뻔했어. 보증금이 있어야 입원을 할 수 있다는데 제임스가 무슨 서류를 쓰고 해서 간신히 입원하게 된 거래. 죽을 뻔한 너를 살려 준 의사 선생님들도 고맙지만 가장 큰 은인은 제임스야. 우리 은석이도 이다음에 커서 꼭 의사가 되었으면 좋겠어. 그러려면 돈이 있어야 하는데……."

언니가 뒷말을 잇지 못했다. 언니는 조만간 공장에 취직을 할 거라고 했다. 그래야 은석이 공부를 시킬 수 있다고 하면서. 불쌍한 언니. 열 살 때부터 밥하고 빨래하고 동생 챙기고 공부도 포기하고. 나는 언니를 그렇게 만든 아저씨가 정말 미웠다.

"너 어땠는지 알아? 정말 귀신같았어. 얼굴엔 핏기 하나 없고 온몸은 새파랗게 죽어 가고 있었거든."

언니가 분위기를 바꾸려는 듯, 내가 쓰러졌던 당시의 모습을 이야기했다.

"내가 귀신같았다고? 머리 풀어 헤치고 이렇게?"

단발머리를 마구 헝클어뜨리며 귀신 흉내를 내자 은자 언니가 까르르 웃었다.

"선기야, 진짜 너 죽을 뻔했어. 네가 살아나서 정말 기뻐."

마지막 말을 하면서 은자 언니가 울먹였다.

"언니, 웃다가 울면 어떻게 되는지 알지? 똥꼬에 털 난다!"

내 말에 언니가 울음을 꿀꺽 삼키고는 다시 까르르 웃었다.

하우스보이

병원에 잠깐 들른 엄마의 얼굴에 수심이 가득했다.

"이젠 어디서 돈 빌릴 데도 없어. 가지고 있는 돈이라고 해 봐야 저녁 찬거리 살 돈밖에 안 되고."

밀린 병원비 때문에 퇴원을 미루고 있다는 얘기다. 엄마는 예전부터 어려운 일이 생기면 작은오빠랑 의논을 했다. 큰오빠에게는 집안의 어려움을 절대 알리려 하지 않았다. 공부에 방해가 된다는 이유였다.

"엄마, 걱정하지 말아요. 내가 어떻게 해 볼게요."

"네가 어떻게……."

시큰둥한 엄마의 말에 작은오빠가 자신 있는 목소리로 말했다.

"두고 보시라니까요. 방법이 있을 것도 같아요."

나는 마치 죄인이 된 듯했다. 왜 이렇게 어려울 때 아파가지고. 그나저나 퇴원은 할 수 있으려나. 나는 맥없이 병원 창문 밖을 내다보았다. 마음대로 돌아다닐 수 있는 바깥이 그리웠다.

그때 누군가 병원 문을 살며시 열고 들어왔다. 예분 언니와 제임스였다.

작은오빠가 두 사람을 반갑게 맞이했다. 엄마는 죄지은 사람처럼 고개를 들지 못했다. 예분 언니가 다가와 엄마의 손을 잡았다.

"예분아, 너에게 까칠하게 대했던 건……."

"아주머니, 말 안 하셔도 알아요. 낯선 외국인이랑 사는 여자를 누가 반갑게 맞이하겠어요?"

"하도 소문이 흉흉해서 말이야. 미군들이 저지르는 횡포가 너무 끔찍해서……."

엄마가 제임스에게 고개 숙여 인사했다.

"고마워요, 제임스. 우리 선기 살려 줘서."

예분 언니가 눈물을 글썽이며 말했다.

"저희, 곧 떠나요. 줄집에서 살았던 시간은 잊을 수 없을 거예요."

"잘 살아야 해."

"그럼요! 잘 살아야죠. 식구들도 조만간 미국으로 불러들일 거예요."

그러면서 예분 언니는 보자기에 싼 물건을 꺼냈다. 언니가 그렇게도 아끼던 축음기와 이미자 LP판이었다. 동그랗고 까만 판을 전축에 올려놓으면 미세하게 나 있는 줄 위로 가느다란 바늘이 지나가면서 노래가 흘러나온다. 나는 바늘이 지나가는 길을 하염없이 쳐다보곤 했다.

"이거 들으면서 내 생각해 줄 거지?"

"언니, 이거 비싼 건데……. 진짜로 주는 거야?"

"친언니처럼 따르고 사람으로 대해 줘서 정말 고마웠어. 라디오는 은자에게 주었어."

엄마가 집으로 돌아가고 난 후에도 예분 언니와 제임스는 병원에 머물렀다.

"선기야, 나중에 미국에 꼭 놀러 와."

"미국이 아무리 멀어도 가야지. 언니랑 제임스가 사는 나라니까."

"그러려면 건강해야 해. 밥도 많이 먹고."

예분 언니가 내 머리를 쓰다듬어 주었다. 예분 언니가 친언니처럼 느껴졌다.

그때 작은오빠가 제임스에게 다가가 말을 건넸다. 그동안 배운 짧은 영어와 손짓 발짓 섞어 가며 떠듬떠듬 말을 했다. 도대체 무슨 말을 하려고 저렇게 애를 쓰는 걸까? 나는 작은오빠를 애처롭

게 쳐다보았다.

"웅기야, 걱정하지 마. 제임스가 하우스뽀이 자리 소개해 줄 거야. 전에 말했던 제임스 상관이 아직도 하우스뽀이를 구하지 못했다고 하니 잘됐어. 나카마치 거리 뒤쪽 일본식 주택 있지? 해밀턴 중령이 거기 사니까 찾아가 봐."

"빌린 돈은 빨리 갚을게요. 누나, 고마워요."

작은오빠는 제임스에게 다가가 계속 "땡큐, 땡큐."라고 말했다.

나는 제임스의 도움으로 퇴원을 했고, 작은오빠는 고등학교를 중퇴하고 하우스보이가 되었다. 예상대로 아버지는 노발대발했다. 큰아버지는 미국과 사이좋게 지내야 한다고 하는데 왜 아버지는 미군 부대에 취직하는 걸 싫어하는 걸까? 작은오빠가 고등학교에 다니지 않아서인가? 작은오빠가 하우스보이가 된 후, 집에서 작은오빠 얘기를 꺼내는 건 금기였다.

"그곳에서 먹고 자고 일하기로 했어. 집에는 가끔 들르게 될 거야."

작은오빠가 오랜만에 집에 와도 아버지는 본체만체했다.

세상이 하루도 조용하지 않은 것처럼 우리 집도, 다른 집들도 조용하지 않은 날이 별로 없다. 날마다 새로운 사건이 일어나고 사람들은 그 사건을 두고 이러쿵저러쿵 말을 했다.

베트남 전쟁에 나갔던 큰집 윤기 오빠는 작년에 집으로 돌아왔다. 예전엔 말도 잘하고 성격이 활달했는데 전쟁에 나갔다 온 후로 집 밖에도 나가지 않고 방구석에 틀어박혀 멍하니 있다고 한다. 미국은 부자여서 싸움도 잘할 것 같은데 베트콩에게는 꼼짝 못 한 것 같다.

큰오빠는 대학 입시로 밤낮없이 공부를 했다. 엄마는 새벽마다 큰오빠를 위해 물을 떠 놓고 빈다. 아마도 서울대학교에 가게 해 달라고 비는 걸 거다. 줄집 사람들은 큰오빠를 볼 때마다 이런 소리를 한다.

"명기야, 서울대학교에 가야지? 네가 안 가면 누가 가겠냐?"

그런데 그런 소리를 들을 때마다 큰오빠의 얼굴이 어두워진다. 고등학교 내내 한 번도 1등 자리를 놓치지 않았으니까 큰오빠는 분명 서울대학교에 갈 텐데 왜 그러는지 모르겠다.

작은오빠는 가끔 집에 온다. 여전히 아버지하고는 아무 말도 안 하지만 엄마랑 우리들하고는 이야기를 잘한다. 작은오빠가 집에 왔다 간 날이면 엄마의 치마 안주머니가 불룩해진다.

"오빠, 집에서 왜 안 자?"

동생이 묻자 작은오빠가 싱긋 웃으며 대답했다.

"그러잖아도 집이 좁아서 갈치잠을 자는데 내가 없으니까 편하고 좋잖아."

덩치 큰 작은오빠가 없으니 집이 텅 빈 것만 같다.

"응, 오빠 없으니까 좋은 게 또 있어. 먹을 것도 많이 남아."

철없는 정기는 뭐가 그리도 궁금한지 계속 묻는다.

"오빠, 미국 사람은 밥을 안 먹고 고기만 먹는다며? 오빠는 미국 사람 안 무서워? 미국 사람들한테는 노랑내가 난다던데 노랑내는 어떤 냄새야?"

작은오빠가 오는 날이면 아버지는 아침부터 집을 나간다. 아버지는 아직도 작은오빠를 용서할 수 없나 보다.

"학교는 영영 때려치운 거야?"

나도 한마디 던졌다. 그러자 작은오빠가 자신 있는 목소리로 대답했다.

"공부는 다 때가 있다고 하지만 나중에도 얼마든지 할 수 있어. 하려고 마음만 먹으면 무슨 일을 못 하겠어?"

작은오빠는 왠지 달라진 것 같다. 한 번도 느껴보지 못한 든든함이 느껴졌다.

"은자 아버지는 요즘 어때요?"

작은오빠가 은자 아버지 안부를 물었다.

"뭐 만날 그렇지 뭐. 술 마시고 오면 애들 괴롭히고 그러더니 요즘은 통 보이질 않아."

엄마의 말에 내가 덧붙였다.

"아저씨 없으니까 집이 평화로워. 그래서 요즘 언니네서 잘 때도 많아."

작은오빠가 조금 불안한 낯빛으로 말했다.

"애스컴 건너편 새촌마을에 미군들을 위한 오락 시설이 엄청 많은데 그중에 노름판도 있거든요. 거기서 은자 아버지를 몇 번 본 것 같아서요. 은자 아버지가 무슨 돈으로 미군들 노름판에 끼는지……."

작은오빠는 가끔 심부름으로 새촌마을에 간다고 했다. 오빠가 모시는 미군은 점잖고 품위가 있는 분이라고 했다. 새촌마을에 있는 사진관에 가서 사진을 찾아오기도 하고, 새로 맞춘 양복을 찾아오기도 한다고 했다.

"새촌마을 사람들은 한 집 걸러 다 미군과 양공주들에게 방을 내주고 돈을 벌고 있어요."

작은오빠는 그게 요즘 세상이라고 했다. 어떻게 하든 한몫 잡으려고 사람들은 혈안이 되어 있다고 했다.

줄집마을 사람들도 모이기만 하면 수군수군 얘기를 한다. 누구 집 딸이 미군과 살림을 차렸다더라, 누구네 집 딸은 미군들이 드나드는 술집에 나간다더라. 소문은 바람을 타고 이 사람 저 사람에게로 전해졌다. 그러면 사람들의 얼굴에 안쓰러움과 동정의 빛이 가득했다. 그런데 그 딸이 돈을 많이 가져다주어 살림이 폈다더라, 미제 물건을 한 보따리 갖고 왔다더라, 그 딸 덕분에 남동생들이 공부를 하게 되었다더라 등등의 얘기가 나돌면 다시 사람들의 얼굴에는 부러움과 야릇한 동경의 빛이 가득했다. 미국은 꿈의 나라였다. '똥도 미제가 좋다더라'라는 말이 유행될 정도였다.

"선기야, 너 웅기 일하는 곳 알지?"

다른 때보다 일찍 퇴근한 엄마가 물었다. 가슴이 뜨끔해서 엄마 눈치를 살폈다. 식구들 몰래 은자 언니와 함께 작은오빠가 일하는 곳을 딱 한 번 가 본 적이 있다. 물론 안에 들어가지는 않았다. 그때의 일이 떠올랐다.

"그냥 잘 있는지 보려고 왔어."

은자 언니의 말에 작은오빠의 얼굴이 환해졌다. 은자 언니는 준비해 간 반찬 몇 가지를 건네주었다.

"미국 사람들은 느끼한 것만 먹잖아. 그래서 김치랑 밑반찬 몇 가지 해 왔어. 별거 아냐."

"별거 아니긴. 은자 네가 해 왔으니 세상에서 가장 특별한 거지!"

너스레를 떠는 작은오빠의 얼굴이 불그스레하게 변했다. 은자 언니의 귀가 빨개졌다. 둘 사이에 묘한 분위기가 풍겼다. 그때 기억을 떠올리고 있는데 엄마의 말이 들렸다.

"웅기 일하는 곳 어디냐?"

내가 눈을 동그랗게 뜨자, 엄마가 다시 말했다.

"웅기가 너한테는 어디라고 가르쳐 줬을 것 같아서 묻는 거야."

어스름 저녁쯤 엄마랑 함께 작은오빠가 일하는 곳으로 갔다. 대문 앞에서 서성이고 있으니까 분필 가루를 바른 것처럼 얼굴이 하얀 남자가 나왔다. 콧수염 때문에 그런지 나이가 꽤 들어 보였다.

"헬로!"

용기를 내어 인사를 건네자 하얀 남자가 웃으며 말했다.

"안뇽! 미스터 팍 만나러 왔어요? 나는 해밀턴입니다. 반갑습니다."

어눌하지만 귀에 쏙 박히는 한국말을 듣자, 나와 엄마는 마주보며 입을 쩍 벌렸다. 집 안에 있던 작은오빠가 달려나왔다. 해밀턴 아저씨가 들어오라고 손짓을 했다. 엄마와 나는 쭈뼛쭈뼛 집 안으로 들어갔다. 엄마는 여기저기 탐색하듯 살폈다. 나도 덩달아 집 안 구석구석을 살펴보았다. 줄집보다 열 배, 아니 이십 배는 넓어 보이는 집에 반짝이는 가구들이 놓여 있었다. 눈에 보이는 모든 게 신기했다. 우리가 소파에 앉자 해밀턴 아저씨가 뭔가를 내왔다. 그러면서 해밀턴 아저씨는 아쉬운 표정으로 뭔가를 영어로 얘기했다.

"해밀턴 중령님은 막 외출하려는 중이었어. 편하게 놀다 가래. 그리고 이건 해밀턴 중령님이 선물해 주는 아이스크림이라는 거야."

작은오빠가 해석을 해 주었다. 해밀턴 아저씨가 나가자마자 나는 처음 먹어 보는 아이스크림을 정신없이 퍼먹었다.

"일은 힘들지 않고?"

엄마가 처음으로 입을 뗐다.

"그럼요. 청소하고 심부름하고. 시간이 많이 남아서 공부도 하고 있어요."

작은오빠의 말에 엄마가 고개를 끄덕였다.

"선기야, 가자!"

엄마가 잰걸음으로 밖으로 나갔다.

"벌써 가시게요. 아이스크림 드시고……."

"잘 있는 거 봤으니 됐다. 이제 편하게 잘 수 있겠다."

이날 먹은 아이스크림의 맛을 평생 잊을 수 없을 거다. 엄마가 입도 대지 않은 아이스크림이 눈에 밟혔다. 아쉬운 마음으로 입맛을 쩝쩝 다시며 엄마 뒤를 쫓아갔다.

샛별극장

이른 아침, 공동 수돗가는 늘 그렇듯이 복작복작했다. 아침 준비하는 손길들이 분주하게 움직였다. 쌀 씻는 손, 야채 다듬는 손, 새까맣게 탄 솥단지 닦는 손. 그 손들을 멍하니 쳐다보고 있는데 8호집 아주머니의 들뜬 목소리가 들렸다.

"웅기가 하우스보이 되었다며?"

8호집 아주머니의 음성이 들떠 있었다.

"미제 물건 좀 집에 갖고 오라고 해. 우리도 웅기 덕 좀 보자."

"덕을 보다니요?"

엄마가 눈을 동그랗게 떴다.

"웅기 일하는 곳이 애스컴 병원에 근무하는 군의관 집이라며, 그러니 비싼 약들이 얼마나 많겠어? 요즘 도깨비시장에서 가장 인기 있는 게 바로 그거래. 웅기가 그걸 갖고 와 우리에게 넘겨주면 우리가 브로커 역할을 하면 되잖아. 누이 좋고 매부 좋고 꿩 먹고 알 먹고! 웅기는 물건 넘겨주고 돈 벌고, 우리는 도깨비시장에 넘겨주고 돈 벌고."

"아니, 우리 웅기보고 도둑질을 하라는 얘기예요?"

엄마가 발끈했다.

"그게 무슨 도둑질이야? 그 사람들은 모든 게 차고 넘쳐서 몇 개 없어진다고 해도 눈치 못 챌걸? 7호집 남자가 갖고 나오는 쓰던 비누, 면도기도 없어서 못 파는데 약 같은 건 아마도 큰돈이 될 거라고."

엄마가 벌떡 일어났다. 화가 잔뜩 난 얼굴이었다.

"당장 굶어 죽어도 도둑질을 시킬 마음은 없으니 다시는 그딴 얘기 하지 마셔요."

"아니 뭐, 선기네 잘되라고 하는 소리지. 뭘 그렇게 고깝게 들어. 그런 거 갖고 나오면 다 돈이 되니까 하는 소리야. 그러면 명기 학비도 걱정할 필요 없잖아. 대학 학비가 어지간해야지. 선기, 정기 공부 시키려면 돈이 꽤 들 테고."

8호집 아주머니가 사근사근한 목소리로 말했다. 엄마는 뒤도 안 돌아보고 수돗가를 떠났다.

우리 집 살림이 전보다 나아진 것은 사실이다. 작은오빠가 한 달에 한 번 또박또박 돈을 갖다주고 엄마도 공장에 다니기 때문이다. 하지만 큰오빠에게 드는 돈이 생각보다 많은지 엄마는 늘 돈 때문에 전전긍긍했다. 나와 동생은 작은오빠가 오는 날을 기다렸다. 작은오빠가 온 그날, 마침 은자 언니가 놀러 왔다.

"은자야, 너 많이 컸다. 근데 옷이 그게 뭐냐?"

은자 언니의 깡동 올라간 치마를 보고 작은오빠가 껄껄 웃었다. 은자 언니는 입던 옷이 모두 작아졌지만 새 옷을 살 형편이 안 됐다. 언니 얼굴이 빨개지는 걸 보고, 나는 작은오빠 등을 세게 쳤다.

"숙녀한테 예의 없게 굴지 마."

"아, 알았어. 은자야, 기분 나빴냐? 내가 좀 눈치가 없잖아."

그때부터 작은오빠는 집에 들르기 전에 먼저 은자 언니네 집에 들렀다. 은자 언니네 집에 필요한 것들을 슬그머니 내려놓고 갔다. 은자 언니의 옷, 은석이의 학용품, 통조림 같은 것들이었다.

"일전에 수돗가에서 엄마랑 아주머니들이랑 싸움 날 뻔했어."

수돗가에서 있었던 얘기를 하자, 작은오빠가 씨익 웃었다.

"아니, 오빠 때문에 엄마가 싸울 뻔했다는데 웃음이 나와?"

"우리 엄마는 자존심이 여전해서 기분 좋아."

"그게 뭔 소리야? 자존심이 어떻다고?"

"그딴 물건 빼내서 팔아먹으려고 내가 하우스뽀이 된 건 아니거든. 엄마는 역시 나를 가장 잘 알아."

"입은 삐뚤어졌어도 말은 바로 하랬다고, 돈 벌려고 하우스뽀이 된 거 맞잖아."

"돈도 돈이지만, 영어도 확실히 배우고 어떻게 미국이 그렇게 부자가 되었는지 그런 것도 좀 알고 싶고. 나는 물건 몰래 빼내 돈 벌자고 해밀턴 중령 집에 들어간 거 아니거든."

작은오빠를 다시 보았다. 그저 먹을 것 좋아하고 공부는 싫어하는 철없는 남자인 줄 알았는데……. 작은오빠가 변한 것처럼 나도 변했다. 예전처럼 하루 종일 밖으로 나돌아 다니지 않는다. 집에 틀어박혀 축음기에 판을 올려놓고 〈섬마을 선생님〉 노래를 듣고 또 듣는다. 〈섬마을 선생님〉 말고 〈동백 아가씨〉와 〈흑산도 아가씨〉 같은 노래도 자주 듣는다. 이미자 노래는 몇 번을 들어도 싫증나지 않는다.

어느 날, 작은오빠가 엄마에게 따로 돈을 챙겨 주었다.

"엄마, 이 돈으로는 영화를 보세요."

그동안 줄집 아주머니들이 단체로 영화를 보러 갈 때마다 엄마는 한 번도 가지 못했다. 돈 때문이었다.

"이제 보고 싶은 영화 있으면 마음껏 보러 가세요, 어마마마."

작은오빠의 넉살에 엄마가 환하게 웃었다.

드디어 영화 보러 가기로 한 날이다. 할 일을 모두 마친 줄집 아주머니들이 길 떠날 준비를 했다.

“나도 갈 거야.”

내가 한번 고집을 피우면 누구도 꺾을 수 없는 쇠고집이라는 건 줄집마을 사람 모두 아는 사실이다.

“시간이 너무 늦어서 분명 영화를 보다 졸려서 잘 텐데……. 큰오빠와 동생과 집에 있어라.”

나는 입을 굳게 다문 채 고개를 흔들었다. 그러자 누군가가 말했다.

“아이고, 그 고집 못 꺾으니 데리고 갑시다. 이러다 영화 상영 시간에 늦겠어요.”

달빛 하나 비치지 않는 깜깜한 길을 걷다 보면 발밑에서 자글자글 자갈돌이 발바닥을 간질였다. 샛별극장에 도착했을 때는 온 사위에 어둠이 내려앉아 앞이 안 보일 정도로 캄캄했다. 마지막 상영 시간에 맞춰 온 것이다. 극장 앞에는 커다란 간판이 걸려 있었는데 〈월하의 공동묘지〉라는 큰 글씨가 보였다. 제목 옆에 아주 무서운 그림이 있었지만 어두워서 잘 보이지 않았다.

극장 입구에 앉아서 표 검사를 하는 아저씨가 나를 빤히 쳐다보았다. 돈 내라고 하면 어떡하지?

"어른들도 무서워서 오줌 지리는 귀신 영화예요. 저 아이가 볼 수 있을까요?"

나는 얼른 고개를 끄덕였다. 걱정하지 마세요. 키는 작아도 얼마든지 볼 수 있어요, 그런 뜻이었다.

"얘가 기절해도 난 책임 못 집니다."

영화는 너무너무 무서웠다. 나는 어른들보다 더 씩씩하게 영화를 끝까지 보았다. 사실 어른들은 두 눈을 가리고, 머리를 숙이고 난리가 났다. 깜깜한 밤길, 돌아오는 길 내내 눈을 말똥거리며 영화 속의 장면들을 떠올렸다. 억울하게 죽은 여자 귀신이 복수를 하는 장면이 통쾌했다. 거기다 해골, 아기 울음소리, 고양이, 날아다니는 등불 같은 것들이 떠올라 소름이 쫙 끼쳤다.

'나쁜 일을 하면 귀신이 찾아와 해코지를 하는구나. 절대로 나쁜 일은 하지 않겠어.'

그렇게 영화를 보고 온 다음 날이면 엄마를 비롯한 줄집 아주머니들의 얼굴에는 햇살처럼 밝은 빛이 가득 내려앉았다. 지난밤 영화 보러 기찻길을 걸었던 일부터 영화관에서 있었던 일을 깔깔거리며 몇 번이나 똑같은 얘기를 또 하고 또 했다.

"영화 보고 오니까 살맛이 나네."

"일 년은 거뜬하게 보낼 것 같아."

영화 한 편으로 아주머니들의 어깨를 누르던 근심, 걱정, 피로

가 사라진 듯했다. 영화를 보고 온 그날, 늦은 밤이었지만 나는 이야기 공책을 꺼냈다.

"영화는 수고로움을 견디게 해 주는 삶의 활력소이다. 깜깜한 길을 비춰 주는 샛별이다."

써 놓고 보니 제법 멋있었다. 언제 또 극장에 가려나 내심 기다렸지만 그런 날은 오지 않았다. 대신 나는 공책에 생각나는 대로 느끼는 대로 이야기를 쓰기 시작했다. 먼 훗날 나의 이야기로 책을 만들고 싶었다. 가슴속에서 새로운 꿈이 소록소록 자라났다.

큰오빠는 서울대학교에 붙어 서울로 통학을 하고 있다. 엄마는 아침마다 큰오빠를 위해 토스트를 만든다. 도시락을 싸 가야 한다는 큰오빠 말에 엄마는 화선이 엄마에게 가서 토스트와 샌드위치 만드는 법을 배워 왔다.

며칠 전부터 낯선 사람들이 자꾸만 눈에 띄었다. 우락부락한 얼굴에 커다란 덩치가 위압감을 주었다. 누군가를 찾는 듯 두리번두리번했다. 재학이 오빠가 속한 김치스 밴드는 서울로 진출하고 10호집은 비어있는 지 오래되었다.

"못 보던 사람들인데 누구지? 10호집에 새로 이사 올 사람들인가?"

내 말에 동생이 큰 소리로 말했다.

"생긴 걸 보니 깡패 같은데?"

엄마가 깜짝 놀라 동생의 입을 막았다.

빛과
그림자

학교 끝나고 집에 올 때 가끔 작은오빠가 일하고 있는 집 앞을 지나간다. 그 집 앞을 지나려면 빙빙 돌아서 가야 하기 때문에 좀 멀다. 해밀턴 중령이 사는 집은 일제 강점기 때 일본 관리가 살았던 집으로 이층 목조 건물이다. 근처에 이런 집이 서너 채 더 있다.

'이런 집에 살면 얼마나 좋을까?'

부러운 마음으로 지나가려는데 바로 옆집에서 큰 소리가 들렸다. 옆집도 일본식 2층집이고 마빈이라는 미군 대위가 살고 있다고 들었다. 우당탕탕 소리와 함께 마빈 대위가 한 남자아이를 끌고 나왔다. 마빈 대위는 주먹과 발길, 몽둥이로 남자아이를 사정

없이 때렸다. 남자아이가 무릎을 꿇고 싹싹 빌었지만 아무 소용이 없었다.

나는 대문 뒤에 숨어 이 모습을 지켜보았다. 저 남자아이는 누구이고, 도대체 무슨 잘못을 했기에 저렇게 맞고 있는 것일까?

잠시 후, 해밀턴 중령과 작은오빠가 뛰어나왔다. 두 사람은 옆집으로 달려가 마빈 대위의 두 손을 잡고 말렸다. 마빈 대위라는 남자가 비틀비틀 집으로 들어갔다. 작은오빠가 피투성이가 된 남자아이를 부축해 해밀턴 중령의 집으로 들어갔다. 작은오빠가 숨어 있던 나를 발견하고 손짓을 했다.

"들어와서 나 좀 도와줘."

남자아이는 열일곱 살이고 작은오빠와 똑같은 하우스보이라고 했다. 술을 좋아하고 노름을 즐기는 마빈 대위는 노름에서 지고 들어온 날이면 말도 안 되는 이유로 남자아이를 두들겨 팬다고 했다.

해밀턴 중령이 뜨거운 우유를 내오고 작은오빠는 약품 상자와 뜨거운 물과 수건을 가져왔다. 나는 작은오빠를 도와 남자아이의 온몸에 흥건한 피를 닦아 냈다. 해밀턴 중령은 익숙한 손놀림으로 뼈가 괜찮은지 살펴보고는 고개를 끄덕였다. 다행히 뼈에는 이상이 없는 듯했다. 잠시 후 정신을 차린 남자아이가 고개를 숙여 인사를 했다.

"번번이 고맙습니다. 얼른 가 봐야 해요. 내일 아침에 마빈 대위님이 입을 군복을 다려 놔야 하거든요."

그렇게 말하는 남자아이의 눈에 눈물이 차올랐다. 나는 그 모습에 고개를 푹 숙였다. 고개를 들어 남자아이의 얼굴을 쳐다보는 순간 울음이 터질 것 같았다. 남자아이가 비척비척 일어나 옆집으로 향했다.

"선기야, 더 어두워지기 전에 얼른 가라."

작은오빠가 침울한 얼굴로 대문까지 배웅을 해 주었다.

"무슨 일이야? 무슨 죽을죄를 졌기에 저렇게 맞는 거야?"

씩씩대며 묻는 내 말에 작은오빠가 말했다.

"저 아이 이름은 경호야. 경호네는 새촌마을에 사는데 경호 아버지가 마빈에게 노름빚을 졌나 보더라고. 경호는 그 빚 때문에 여기 와서 돈 한 푼 받지 못한 채 하우스뽀이 노릇을 하고 있어."

마빈은 노름에 지고 온 날은 어김없이 경호에게 화풀이를 하곤 했는데 이유가 참 황당하다고 했다. 자기가 쓰레기통에 버린 물건을 경호가 주워 갔다는 이유로 도둑놈이라는 누명을 씌우기도 하고, 갑자기 돈이 없어졌다면서 내놓으라고 폭력을 휘두르기도 한다는 것이다.

"그럼, 하우스뽀이를 그만두면 되잖아."

내 말에 작은오빠가 한숨을 쉬며 말했다.

"그럴 수 있다면 얼마나 좋겠어? 경호가 눈에 안 띄면 아마 경호 아버지를 죽이려고 할걸! 마빈 같은 놈이 우리나라 사람 한 명 죽인다고 해서 수사관들이 과연 그놈을 감옥에 보낼까?"

가슴 속에서 무언가가 부글부글 끓어올랐다. 작은오빠도 그런지 두 주먹을 불끈 쥐었다.

"해밀턴은 어때? 해밀턴도 오빠를 때려?"

내 말에 작은오빠가 피식 웃었다.

"내 덩치를 봐라. 내가 맞고 다닐 사람은 아니잖아. 해밀턴은 점잖은 사람이야. 그런데 많은 미군이 해밀턴 같지 않다는 게 참 안타까운 일이지."

그러면서 작은오빠는 여러 가지 이야기를 해 주었다. 우리나라에 들어온 미군을 빛처럼 추앙하는 사람들이 많은데 빛이 있는 곳에는 반드시 그림자가 있다는 것이다. 그러니까 보이지 않는다고 해서 그림자가 없는 것이 아니라는 것을 기억해야 한다고 덧붙였다. 작은오빠는 언제 이렇게 철이 든 것일까? 작은오빠가 처음으로 멋져 보였다. 그리고 안심이 되었다. 작은오빠가 마빈네 집에 가지 않은 것이 얼마나 다행인가.

새로 사귄 친구

중학교에 입학하면서 사귄 친구가 바로 영미다. 영미는 나카마치 거리 근처, 옛날에 일본인들이 많이 살았던 마을에 산다. 집들은 반듯반듯하고 넓은 뜰까지 딸려 있다.

나는 영미가 준 약도를 살펴보았다.

"여기가 맞네."

낮은 담에 기대 까치발을 한 뒤 뜰을 넘겨다보았다.

"와, 동화 속 세상 같다."

뜰에는 앵두나무며 복숭아나무 등 온갖 나무들과 꽃들이 심겨 있다. 대문에 달린 초인종을 누르니 조금 후에 영미가 마치 공이

튀는 듯 콩콩 뛰어나왔다. 그런 영미의 모습이 부러웠다.

"잘 찾아왔네, 역시 똑똑한 박선기!"

영미와 함께 뜰을 지나 현관으로 들어섰다. 햇살 가득한 거실을 보자 탄성이 절로 나왔다. 해밀턴 아저씨네 집에서 본 가구와 비슷한 가구들이다. 영미네가 잘 사는 집이라는 건 짐작했지만 이 정도인 줄은 몰랐다. 책꽂이에는 《어깨동무》라는 잡지가 꽂혀 있었다.

"이거 내가 좋아하는 잡지야. 읽고 싶으면 빌려줄게."

나는 정신없이 잡지를 읽어 댔다. 동화뿐 아니라 만화도 있었고 다양한 읽을거리가 실려 있었다.

잠시 후, 한 아주머니가 점심을 먹으라며 영미를 불렀다.

"안녕하세요? 저는 영미 친구입니다."

나는 영미 엄마인가 하여 얼른 일어나 꾸벅 인사를 했다.

"인사는 뭐 하려 해? 이 아주머니는 우리 집 식모야. 너, 점심 안 먹었지? 같이 먹자."

식모? 내가 눈을 크게 뜨자 영미가 말했다.

"우리 집에서 먹고 자고 일하는 사람, 영어로는 하우스 걸!"

문득 작은오빠가 생각났다. 아, 식모를 하우스 걸이라고 하는구나. 그렇다면 하우스보이도 식모인가?

식탁에 앉자마자 영미가 짜증스러운 목소리로 말했다.

"아줌마! 내가 점심때 오믈렛 먹고 싶다고 했잖아!"

그러자 아줌마가 절절매며 대답했다.

"그게 저, 계란이 똑 떨어지는 바람에."

"미리미리 사 놔야 하는 거 아냐! 이게 뭐야? 친구도 왔는데 그냥 밥이라니!"

영미의 태도에 깜짝 놀라 나는 어쩔 줄 몰랐다. 나보다 훨씬 어린 주인에게 야단맞는 저 기분은 어떨까? 작은오빠도 이런 대접을 받는 건 아니겠지? 해밀턴 중령은 자기 집에서 일하는 사람을 막 대하는 사람으로는 보이지 않았는데. 갑자기 욱해서 벌떡 일어났다.

"나, 갈게."

영미가 당황한 얼굴로 따라와 내 팔을 붙잡았다.

"박선기, 너 왜 그래?"

"아냐, 아무것도."

"너 지금 화났잖아."

"그래, 나 화났어. 너보다 훨씬 나이가 많은 사람에게 그렇게 함부로 해도 되는 거야?"

영미가 영문을 모르겠다는 듯 빤히 쳐다봤다.

"그러니까 내 말은 니네 집 하우스 걸, 그 사람을 그렇게 함부로 대해도 되냐는 뜻이야."

내 음성이 높아졌다. 영미의 당황한 얼굴을 뒤로하고 나는 그 집을 뛰쳐나왔다.

'나쁜 기집애. 다시는 같이 노나 봐라.'

다음 날, 학교에 갔더니 영미는 아무 일 없었던 듯 다가왔다. 영미의 살가운 태도에 내 마음이 눈 녹듯이 사르르 녹아내렸다.

어느 일요일이었다. 영미가 우리 마을까지 나를 만나러 왔다. 함께 새촌마을에 가자고 했다.

"거기 가면 엄마한테 혼나. 그쪽으로는 얼굴도 돌리지 말라고 했거든."

"거기도 우리 같은 사람들이 사는 곳이야. 그런데 사실은 나도 몰래 가는 거야. 내가 어렸을 때 살았던 집에 가 보고 싶어서 그래."

영미가 눈물까지 글썽였다. 말로는 안 된다고 했지만 사실 나는 새촌마을이 궁금했다.

"그래, 가 보자."

영미가 내 손을 꼭 잡았다. 굴포천을 건너니 눈앞에 거대한 미군 부대가 나타났다. 미군 부대를 지키는 헌병들과 들락거리는 트럭들을 보니 가슴이 콩닥거렸다. 미군 부대 건너편 마을이 바로 새촌마을이다. 약간 으스스한 마음으로 영미가 이끄는 곳으로 갔다.

"여기가 바로 우리 집이야."

영미가 커다란 기와집 앞에 서더니 거침없는 발걸음으로 대문 안으로 들어갔다. 눈앞에 펼쳐진 집은 ㄷ자 기와집으로 제법 규모가 컸다. 마당 수돗가에서 까르르 깔깔 웃음소리가 터져 나왔다. 여러 명의 여자들이 수돗가에서 세수를 하고 있었다.

"양공주 언니들이야."

영미가 내 귀에 대고 속삭였다. 영미 말에 의하면 양공주들은 토요일 밤에는 미군들과 파티를 하고 늦게 일어나 세수를 한다고 했다. 은자 언니 또래로 보였다.

'와, 모두 예쁘다.'

세숫대야에 물을 떠 놓고 까르르 웃어대는 언니들은 청순했다. 화장기 하나 없이 반짝거리는 말간 얼굴, 가지런히 빗어 넘긴 긴 생머리, 입가에 조롱조롱 매달린 미소. 미군을 상대 할 때는 하얀 분을 덕지덕지 바르고, 입술은 빨갛게 칠하고, 짧은 치마를 아슬아슬하게 입지만, 지금은 그 모습이 아니었다.

가족들에게 외면을 당하고 미군과 상대하며 돈을 벌고 있는 여자들, 함께 살던 미군에게 버림받아 인생을 망치고 평생 술집을 떠돌아다니는 여자들, 사람들이 생각하는 양공주는 보통 그런 모습이다. 예분 언니처럼 좋은 미군을 만나는 일도 있지만 그건 흔한 일이 아니라고 했다.

"영미 왔구나. 아이고, 내 새끼."

부엌에서 한 여자가 반갑게 뛰어나왔다.

"엄마야, 진짜 엄마!"

영미가 여자 품에 안기며 내게 말했다. 영미 엄마는 새촌마을 기와집에서 양공주들에게 세를 받으며 살고 있다. 그러니까 지금 함께 살고 있는 엄마는 새엄마인 것이다. 뭐 하나 부족한 게 없을 것 같은 영미에게는 아픈 사연이 있었다. 미군 부대에 다니는 영미 아버지는 부대 안에서 통역사로 일하는 나이가 열다섯이나 어린 새엄마를 만났다.

영미는 진짜 엄마가 그립다고 했다. 진짜 엄마랑 살고 싶지만 그건 불가능한 일이라면서 빨리 어른이 되고 싶다고 했다. 어른이 되면 누구랑 살 건지 결정할 수 있다면서. 갖고 싶은 것 다 가질 수 있고, 먹고 싶은 것 다 먹을 수 있다고 행복한 건 아니라는 걸 알았다. 그렇다면 나는 어떤가? 나는 행복한가, 아니면 행복하지 않은가?

영미의 사연을 알고 난 뒤 나는 영미에게 하우스보이로 일하는 작은오빠 얘기를 했다.

"그래서 그날 그렇게 화를 낸 거였구나. 오빠 생각이 나서."

"너희 집에서 월급 받고 일한다고 함부로 대하지는 마. 다 똑같은 사람이니까."

영미가 순순히 고개를 끄덕였다.

팔려 간
은자 언니

학교 마치고 돌아오는 길이었다. 오래 전에 보았던 덩치 크고 인상 나쁜 남자들을 또 보았다. 남자들이 수군수군하더니 약속이나 한 듯 9호집으로 몰려 들어갔다. 불안한 생각에 나도 뒤따라 들어갔다. 좁은 집을 꽉 채운 남자들이 무서운 얼굴로 은자 언니를 둘러싸고 있었다.

"이석장이 네 아버지 맞지? 빨리 대답해!"

새파랗게 질린 언니와 은석이의 얼굴이 보였다. 좋지 않은 일이 일어났다는 것을 직감적으로 느꼈다.

나는 순간 고민할 것도 없이 큰 소리로 외쳤다.

"불이야! 불이야!"

집 안에 있던 우락부락한 남자들이 일제히 나를 노려보았다. 그 눈초리가 어찌나 매서운지 다리가 후들거렸다. 다행히 줄집 사람들이 하나둘 도착했다. 양동이를 든 사람도 있고, 바가지를 들고 온 사람도 있었다. 유난히 얼굴이 흰 아버지 얼굴도 보였다.

"불 난 곳이 어디야, 어디!"

두리번거리던 사람들이 남자들을 발견하고는 멈칫했다. 으스스한 분위기에 뒷걸음질 치는 사람도 있었다. 불이 아니라는 걸 알고 안도의 한숨을 쉬는 사람도 있었다. 남자 중 한 명이 주머니에서 종이 한 장을 꺼냈다.

"네 아버지가 노름빚 대신 딸을 잡힌다는 증서야."

그런 게 있어? 뭔가 의심쩍은 눈초리로 줄집 사람들이 서로의 얼굴을 쳐다보았다. 이때 아버지가 나섰다. 함흥에서 철도학교를 다니다 중퇴한 아버지는 문서를 잘 아는 축에 속했다. 아버지가 남의 일에 이렇게 나서는 걸 본 적이 없는데. 그런 아버지가 신기하기도 하고 자랑스럽기도 했다. 그런데 증서를 들여다보는 아버지가 당황한 듯 입술을 파르르 떨었다.

"노름빚 10만 원 대신 딸을 주겠다는 증서가 맞아."

말을 마친 아버지가 순간 휘청거렸다. 나는 바람처럼 달려가 아버지를 부축했다. 병마를 물리쳤지만 아버지는 약골 중의 약골

이었다. 사람들 속에서 길고 짧은 탄식이 연달아 터져 나왔다.

"아, 결국은."

"내 그럴 줄 알았어. 이석장 그 인간이 뭔 일낼 줄 알았다니까!"

은자 언니가 털썩 주저앉으며 울부짖었다.

"아버지가 그럴 리가 없어요!"

남자 둘이 은자 언니의 양쪽에서 팔짱을 끼고 일으켰다.

"네 아버지는 인간 말종이야. 그러니 너도 아버지란 존재를 싹 잊어버리는 게 좋을 거야."

그제야 사태를 파악한 은석이가 남자 다리에 매달렸다.

"우리 누나 데리고 가지 말아요. 네, 제발."

"얘야, 그건 나도 어쩔 수 없는 일이야. 우리는 증서에 따라 행동할 뿐이거든."

"제발요, 제발."

은석이가 다리를 놓지 않자, 남자가 주위를 한번 휙 돌아보았다. 그러고는 다 들으라는 듯 크게 외쳤다.

"그러니까 왜 잘 보살피지도 못할 애들은 낳아가지고."

멀찍이서 무슨 일인가 살펴보던 1호집 할머니가 사람들을 헤치고 남자들 가까이 다가갔다.

"애들 아버지는 지금 어디 있는 게요? 도무지 믿을 수 없는 일이라서 내가 직접 얼굴 보고 물어봐야겠수다."

"그럼, 우리가 거짓말이라도 한단 말이오?"

한 남자가 소리를 버럭 질렀다. 그러자 다른 남자가 1호집 할머니를 안심시키려는 듯 조용히 말했다.

"빚을 못 갚아서 채권자에게 붙잡혀 있수다. 딸내미 데리고 가면 곧 풀려날 게우다. 그때 물어보시든가."

증서 앞에서 누구도 반박하지 못했다. 남자들은 의기양양하게 은자의 양팔을 억세게 거머쥐었다. 정신을 차린 은자 언니가 마을 사람들에게 외쳤다.

"우리 은석이 좀 잘 부탁해요."

"누나, 누나!"

은석이가 달려가고 나도 달려갔다. 은자 언니를 이렇게 보낼 수는 없었다.

"언니, 언니!"

남자 둘이 달려드는 나를 탁 막아섰다. 마치 넘을 수 없는 담벼락이 눈앞에 나타난 느낌이다.

"선기야, 은석이 좀 잘 보살펴 줘."

나는 멍하니 그 자리에 주저앉았다. 내가 아무것도 할 수 없는 나약한 존재라는 것을 깨달은 순간이었다. 줄집마을 사람들도 나와 똑같은 마음으로 넋이 빠진 듯 서 있었다.

"은석아, 우리 집에 가자."

내가 말했지만 은석이는 꿈쩍도 하지 않았다. 다음 날도 또 그 다음 날도 은석이는 우두커니 앉아 있었다.

"아버지가 누나를 데리고 올 거야. 그러니까 아무 데도 가면 안 돼."

줄집 사람들이 먹을 것을 갖다주었지만 은석이는 먹지 않았다. 내가 된장국과 밥을 챙겨 들고 가면 은석이는 간신히 먹는 시늉만 했다. 은석이가 그렇게 기다렸지만 은석이 아버지는 돌아오지 않았다.

"벼룩도 낯짝이 있다고 어떻게 집구석으로 기어들어 오겠어?"

줄집 사람들이 그렇게 말해도 나는 돌아올 거라고 믿었다. 그렇게도 아끼는 아들을 보러 올 거라고 믿었다.

그런데 날벼락 같은 일이 또 일어났다. 어느 날, 낯선 사람이 9호집으로 이사를 왔다. 은자 언니네 아버지가 집까지 잡혀 노름을 했다는 것이다. 은석이는 이제 갈 데가 없었다. 줄집 사람들 누구도 혼자 남은 은석이를 책임질 수 없었다. 자기 자식들도 건사하기 힘든 형편이기 때문이다. 결국 은석이는 미군이 지원하는 달톤 고아원으로 갔다. 은석이가 고아원으로 가고 난 후, 나는 며칠 동안 아무것도 먹지 않았다.

"차라리 잘된 일이야. 거기에서는 좋은 양부모도 만나게 해 주니까."

1호집 할머니가 한마디 하자, 엄마도 거들었다.

"미국으로 입양되는 아이들도 많다고 하더라고요. 미국 가서 살면 잘 먹고 공부도 할 수 있을 거예요."

'나중에 은자 언니 얼굴을 어떻게 보지?'

그 생각을 하니 가슴이 찢어질 듯 아팠다. 그동안 있었던 일을 이야기 공책에 적으면서 나는 엉엉 울었다. 여러 가지 사건을 겪고 나자, 나는 점차 말 없는 아이가 되었다. 재미있는 일도 없고 신나는 일도 없었다. 그냥 세상이 모두 시시하게 느껴졌다. 말도 안 하고 공부도 안 하고 멍하니 있는 나를 보고 엄마가 화를 냈다.

"벌써 사춘기가 온 거야?"

엄마가 열통 터진다는 듯 가슴을 쿵쾅쿵쾅 쳐 댔다. 나만큼이나 충격을 받은 사람은 작은오빠였다.

"은석이를 그렇게 보내면 어떡해요? 은자가 왔을 때 동생이 없으면 어떻겠냐고요?"

작은오빠는 누구에겐지 모를 화를 내며 계속 자기 가슴을 쿵쾅쿵쾅 쳐 댔다.

"오빠, 새촌마을에 가면 은자 언니 소식을 알 수 있지 않을까? 은자 언니 아버지가 거기서 노름을 했다고 했잖아."

내 말을 듣고 작은오빠는 시간이 날 때마다 새촌마을을 기웃거렸다. 하지만 어디에서도 은자 언니를 찾을 수 없었다. 작은오빠는 물어물어 달톤 고아원을 찾아갔지만 가족이 아니라는 이유로 은석이를 만나지 못했다.

"선기야, 너는 걱정하지 말고 있어. 내가 시간 날 때마다 여기저기 다녀 볼게."

작은오빠의 말에 조금 안심이 되었다. 작은오빠라면 꼭 은자 언니를 찾을 것 같았다.

크리스마스가 되려면 아직도 멀었는데도 아이들은 만나기만 하면 크리스마스 얘기를 했다. 선물을 받지 못하면서도 아이들은 괜히 들떠서 크리스마스를 기다렸다. 선물은 미군들과 돈이 많은 사람에게만 해당하는 이야기였다.

화선이가 아쉬운 듯 말했다.

"종갑이 오빠 살아 있을 때는 아버지가 그래도 크리스마스 선물을 줬는데……."

미옥이는 두 손을 맞잡고 말했다.

"미국 아이들은 참 좋겠다. 해마다 12월이면 산타할아버지에게 선물을 받으니까. 그런데 왜 우리나라에는 산타할아버지가 오지 않는 걸까? 너무 멀어서 못 오는 것일까?"

그러자 화선이가 문득 생각난 듯 말했다.

"선기야, 웅기 오빠 하우스보이잖아. 분명 선물 많이 갖고 올

걸? 미군들은 원래 선물 많이 주잖아."

화선이의 빈정빈정한 말투에 속이 뒤틀렸다. 나는 아무 대답도 하지 않았다.

11월 어느 날, 작은오빠가 집에 왔다. 선물을 한아름 안고서. 한 번도 받아 보지 못한 장난감 선물에 나와 동생은 얼떨떨했다.

"크리스마스 때는 바쁠 것 같아서 미리 선물 주는 거야."

작은오빠가 동그란 플라스틱 원판에 구멍이 송송 뚫려 있는 장난감을 꺼냈다. 뚜껑을 여니 나무 모양의 플라스틱 말이 있었다.

"이 말을 옮기기도 하고 건너뛰기도 하면서 맞은편 지점까지 빨리 가면 이기는 거야."

"아, 우리나라 윷놀이랑 비슷한 원리네."

내 말에 작은오빠가 고개를 끄덕였다.

"선기는 하나를 가르쳐 주면 열을 깨우친다니까."

정기가 입을 삐쭉였다.

"아, 우리 막내는 더 대단하지. 하나를 가르쳐 주면 백을 안다니까."

두 살 아래인 정기는 잘한다는 소리를 들으려고 엄청 노력한다.

작은오빠는 식구들 한 명 한 명에게 선물을 주었다. 동생 정기에게는 예쁜 원피스를, 엄마에게는 얼굴에 바르는 분을, 아버지에게는 영양제를, 큰오빠에게는 멋진 시계를 선물했다. 나는 클래식 LP판을 받았다.

장학생

중학교에 가니 좋은 것은 선생님이 여러 명 있어서 각자 과목을 가르친다는 것이다. 작년에 생긴 학교여서 2학년과 1학년 두 학년밖에 없다. 논만 가득했던 벌판에 생긴 학교여서 불편한 점이 많았다.

우리는 조회 시간이면 전교생이 모여 흙과 돌을 날랐다. 나른 흙과 돌을 운동장에 붓고 단단해지라고 발로 다졌다. 선생님들은 의욕이 넘쳐서 일류고등학교에 진학을 많이 해야 명문중학교로 인정받을 수 있다면서 열심히 가르쳤다. 그중 국어 시간이 가장 재미있었다. 선생님이 괴짜여서 가르치는 방법이 좀 남달랐다.

교과서로 공부를 하는 것이 아니라 책을 잔뜩 들고 와 읽게 하고, 글을 많이 쓰게 했다. 다른 아이들은 그런 방식의 수업이 어렵다고 했지만 나는 정반대였다. 읽는 것도 좋았고 쓰는 것도 좋았다.

"글을 잘 쓰는구나. 학교 대표로 글짓기 대회에 나가면 좋겠어."

글을 잘 쓴다는 말을 들은 건 처음이었다. 이야기 공책에 늘 생각한 것, 느끼는 것을 쓰기는 했지만 내 글을 누구에게 보여 주고 평가받은 적은 없었다. 자연스레 나는 방과 후에 국어 선생님에게 글쓰기 수업을 받았다. 글쓰기 수업이 끝나면 도서관에 처박혀 책을 읽다 어스름 저녁이 되어서야 일어섰다.

어린 시절 4호집에서 열광하며 읽었던 《별의 왕자님》이 생텍쥐페리의 《어린 왕자》라는 것을 알고 얼마나 놀랐는지 모른다. 그때는 아무 의미도 모른 채 마냥 좋아했던 그 책이 깊은 의미를 던지면서 내게로 다가왔다.

글짓기 대회만 있다 하면 나는 학교 대표로 출전했다. 나갈 때마다 크고 작은 상을 받아 왔다. 다른 집은 상 하나만 받아 와도 벽에 붙여 놓는다, 액자에 끼워 넣는다 난리가 나지만 우리 집은 그저 조용하다. 작은오빠 빼고 모두 상을 수시로 받아 왔기 때문이었다. 내가 받은 글짓기상들은 조용히 상자 속으로 들어갔다.

어느 날, 우리 집에 생각지도 못한 손님이 찾아왔다. 바로 해밀턴 중령이었다. 우리 가족은 놀라고 당황해서 벙어리처럼 아무 말도 못 하고 서 있었다. 정신을 차린 엄마가 커피를 내왔다. 7호집 새댁에게서 산 커피 가루에 설탕만 넣은 까만 색깔의 커피였다.

도대체 무슨 일이지? 혹시 작은오빠가 무슨 잘못을 했나? 나는 계속 해밀턴 중령의 얼굴을 살폈다. 해밀턴 중령이 하는 말을 큰오빠가 중간에서 통역을 했다. 웬일로 작은오빠는 나서지 않았다. 작은오빠는 학교에 다니지 않았어도 영어를 꽤 잘하는데 말이다.

해밀턴 중령은 작은오빠가 그동안 자신이 고용했던 다른 하우스보이들과는 많이 다르다고 했다. 성실하고 정직한 것은 물론이고 늘 잘 사는 나라에 가서 공부하고 싶어 했다는 것이다. 그러다가 이번에 미군의 후원을 받는 장학생으로 뽑혔다면서 작은오빠가 미국에서 공부를 마칠 때까지 후원자 노릇을 하겠다고 했다. 모두 어안이 벙벙한 채 서로의 얼굴만 쳐다보고 있자, 작은오빠가 답답한 듯 말했다.

"내가 미국에서 공부를 하게 되었다는 소리입니다. 좋은 소식 아닌가요?"

순간 엄마의 얼굴이 구름 낀 하늘처럼 어두워졌다. 아버지는 아무 말도 하지 않았고, 큰오빠는 토끼처럼 눈이 빨개졌다. 동생은 손뼉을 치며 좋아했다.

"오빠가 미국에 가면 초콜릿 실컷 먹을 수 있으니까 나는 찬성이야."

나는 작은오빠에게 물었다.

"오빠! 거기서도 하우스뽀이 노릇 하는 거야?"

"무슨 소리야? 장학금 받고 공부하러 간다니까. 해밀턴 중령은 나의 후원자가 되어 주신다는 소리야."

"얼굴 색깔도 다른데 가서 잘 어울릴 수 있겠어?"

내 말에 작은오빠가 당당하게 대답했다.

"큰 물고기가 되려면 큰물에서 놀아야지."

그 말에 나는 동의한다는 뜻으로 고개를 끄덕였다.

그날 저녁, 작은오빠는 오랜만에 집에서 잤다. 작은오빠가 내게 귓속말을 했다.

"미국 가기 전에 해결할 일이 두 가지 있어."

하나는 은자 언니가 있는 곳을 알아내는 것이고, 또 하나는 은석이를 고아원에서 빼내 오는 일이다. 둘 다 쉬운 일은 아닐 텐데 작은오빠는 포기하지 않았다.

"심부름으로 새촌마을에 갈 때마다 여기저기 은자 소식을 알아보는데 영 진전이 없네."

작은오빠가 시무룩한 얼굴로 말했다. 그때 영미 생각이 났다.

"내 친구 엄마가 거기서 양공주들에게 세를 주고 있어. 거기 사는 양공주 언니들에게 물어보면 알 것도 같은데."

"그래? 그러면 일요일에 같이 가 보자."

그렇게 해서 나는 작은오빠와 함께 영미 엄마네 집에 갔고 거기서 양공주 언니들을 만났다. 은자 언니를 찾는다는 작은오빠의 말에 양공주 언니들이 너도나도 알아봐 주겠다고 했다. 마치 자기 일처럼 나서는 언니들을 보니 마음이 든든했다. 그러던 차, 영미 엄마에게서 드디어 은자 언니 소식을 아는 사람을 찾아냈다고 연락이 왔다. 나는 작은오빠와 함께 한달음에 달려갔다. 은자 언니를 봤다는 사람은 앨리라는 이름의 양공주였다. 앨리는 자기가 본 것을 자세히 말해 주었다.

"테니라고 우리 양공주들이 가장 기피하는 인물이 있어. 클럽에 테니가 떴다고 하면 우리는 모두 긴장을 해. 난폭하고 거칠기가 이루 말할 수 없거든. 그런데 어느 날 테니가 여자 한 명을 데리고 왔더라고. 자기가 사랑하는 여자라면서 엄청 떠들어대더군. 갓 스물이나 됐을까? 테니가 그 어린 여자를 실버라고 부르는 걸 들었어. 실버는 은을 말하는 거잖아. 테니는 자기 맘에 안 들면 폭행을 밥 먹듯 하는 놈이야. 나는 테니와 함께 있는 실버라는 여자가 걱정이 되어 유심히 관찰했어. 실버의 얼굴은 무척 슬퍼 보였지. 내가 슬며시 다가가 어디 사냐고 물었더니 작게 중얼거리더라고. 다다구미마을이라고."

앨리의 말을 듣고 나는 실버가 은자 언니가 맞을 거라고 확신했다. 작은오빠도 나와 똑같은 생각이었다. 작은오빠와 나는 다다구미마을 구석구석을 이 잡듯이 헤매고 다녔다. 하지만 은자 언니를 찾을 수 없었다.

"예분 언니처럼 좋은 미군을 만나 행복하게 살았으면 좋겠어."

내 말에 작은오빠가 알 수 없는 표정을 지었다. 입을 꾹 다물고 있는 모습이 화가 난 것 같기도 하고 울음을 참고 있는 것 같기도 했다.

꽃상여

작은오빠가 미국으로 떠날 날이 얼마 남지 않았다. 그동안 작은오빠는 달톤 고아원에 몇 번 더 갔다. 하지만 끝내 은석이 얼굴은 볼 수 없었고 은석이가 곧 미국으로 입양될 거라는 얘기만 들었다고 했다.

“내가 할 수 있는 게 하나도 없어.”

그러면서 작은오빠는 주먹으로 벽을 쾅 내리쳤다. 나무로 된 벽이 부서질 듯 흔들렸다. 그 모습을 본 큰오빠가 침통한 표정으로 중얼거렸다.

“나라가 힘이 없으니까, 나라가 가난하니까 우리 아이들을 우리가 돌보지 못하는구나. 우리 땅에서 우리가 아무것도 할 수 없다는 게 말이 되는 건가?"

큰오빠는 대학교에 들어가서 좀 이상해졌다. 무슨 모임에 들었다고 하면서 미국을 성토하는 데모를 하러 나가곤 했다. 눈치 빠른 나는 큰오빠가 달라진 걸 느꼈다.

"아무런 이익을 바라지 않고 도와주는 나라는 이 지구상에 없어. 겉으로는 온화한 미소를 띠면서 우리를 조종하고 착취할 뿐이야."

어느 날이었다. 개교기념일이어서 혼자 집에 있었다. 큰오빠가 다른 날보다 일찍 돌아왔다. 그런데 큰오빠의 표정이 심상찮았다. 행동도 이상했다. 자꾸만 내 눈치를 보았다.

"큰오빠, 무슨 일이야? 빨리 말해."

내 말에 큰오빠가 결심한 듯 말했다.

"선기야, 은자가 죽은 것 같아."

그 말을 듣는 순간 커다란 돌덩이가 가슴으로 푹 내리꽂힌 느낌이 들었다.

"은자 언니가 왜? 은자 언니가 왜 죽어? 오빠는 은자 언니 소식을 어떻게 알았는데?"

나는 마치 은자 언니를 죽인 사람이 오빠라도 되는 양 달려들었다.

“나도 우연히 알게 된 거야. 모임에서 만난 친구가 그러더라고. 양공주 한 명이 미군의 폭행에 견디다 못해 자살했다고.”

큰오빠는 더 이상 말을 잇지 못하고 흐느꼈다. 큰오빠가 이렇게 우는 거를 처음 보았다. 언제나 목석같이 공부만 하고 감정이라고는 콩알만큼도 없는 사람인 줄 알았는데.

“오늘 오후에 애스컴 정문 앞에 사람들이 모여서 시위를 한다고 해서 나도 참여하려고 일찍 온 거야. 같은 학교에 다니는 친구들도 많이 온다고 했어.”

“나도 갈래.”

단호한 내 말에 큰오빠는 아무 말 없이 고개를 끄덕였다. 아무리 목석같은 오빠라고 해도 나와 은자 언니 사이를 모를 리 없다.

가는 길 내내 오빠와 나는 한마디 말도 하지 않았다. 꿈이었으면 좋겠어. 꿈이라면 얼마나 좋을까? 나는 걸으면서 계속 이 생각을 했다.

애스컴 정문 앞에는 1,000명이 넘는 여자들이 모여 항의 시위를 벌이고 있었다. 여자들은 대부분 양공주였다. 양공주들에게 집을 내주고 월세를 받는 주인들도 보였다.

“문을 열어라! 테니 중사를 내놓으라!”

꽃상여를 멘 여자들의 얼굴과 옷은 온통 땀범벅, 눈물범벅이었다.

"문 열어라!"

꽃상여를 멘 여자들이 울부짖으며 철로 된 정문을 들이받았다. 철로 된 정문은 약간 흔들거리긴 했지만 끄떡도 하지 않았다. 정문 안에서는 미군들이 이 모습을 지켜보고 있었다. 몇몇 미군들은 손가락질을 하며 낄낄대며 웃었다. 나는 내 눈을 의심했다. 혹시 내가 잘못 본 건 아니겠지? 여기 철문 밖에서 사람들은 처절하게 울부짖고 있는데 어떻게 웃음이 나오지? 미군들의 그 모습에 구경나왔던 사람들도 화가 나는지 두 주먹을 불끈 쥐었다.

"사람이 죽었는데 저것들이 웃어? 아주 인간 말종이구먼."

"우리나라 사람들을 사람으로 여기지 않으니까 웃는 게지."

"남의 나라에 와서 남의 나라 땅을 차지하고서 저렇게 웃을 수 있는 건가?"

사람들이 수런거리며 한숨을 내쉬었다.

나는 꽃상여에 붙은 사진을 그제야 똑바로 보았다. 은자 언니가 거기에 있었다. 무슨 일에도 긍정적이고 화를 낸 적이 없는 온화한 성품의 언니 모습이 그대로 담긴 사진이었다. 언니의 사진을 본 순간 나는 가슴이 미어지고 눈물이 솟구쳤다. 내가 우는 걸 본 사람들도 울컥했는지 눈물을 흘리기 시작했다. 흐느끼는 사람도 있었고 통곡하는 사람도 있었다.

'울고 있지만은 않을 거야.'

나는 결심한 듯 돌멩이를 집어 올렸다. 있는 힘껏 정문 안 미군을 향해 던졌다. 몸을 살짝 피한 미군이 배꼽을 잡으며 웃는 시늉을 했다.

"저것들이 웃어? 본때를 보여 주자."

구경 왔던 아이들이 나를 따라 일제히 돌멩이를 집어 올렸다. 안타깝게도 우리가 던진 돌멩이는 한 사람도 맞히지 못했다.

"직접 사인은 자살이라지만 타살이나 마찬가지야. 한 달에 4,000원 받으며 5개월 동안 같이 살았는데 그 테니 중사란 놈이 어찌나 폭행을 휘두르는지 견디지 못하고 결국 자살한 게지."

사람들의 말을 들으며 나는 또 눈물을 쏟았다.

'아버지한테도 그렇게 폭행을 당하더니 미군에게 또…….'

잠시 후, 미군 헌병과 한국 경찰 수십 명이 들이닥쳤다. 그 사람들은 꽃상여를 멘 언니들과 시위에 참여한 언니들을 곤봉으로 마구 때렸다.

영미 엄마의 도움으로 나와 큰오빠는 간신히 영미 엄마네 집으로 피신했다. 잠시 후, 10여 명의 언니들이 다쳐 병원에 실려 갔다는 소식이 들려왔다. 분개한 시민들이 애스컴 정문에 다시 모였다는 소식도 들려왔다. 곧 상여가 공동묘지로 갈 거라고 했다. 우리는 애스컴 정문으로 다시 나갔다.

"작은오빠다!"

나는 상여 쪽으로 뛰어가는 남자를 보았다. 멀리서 보아도 작은오빠가 틀림없었다. 작은오빠가 다가가자 앞에 섰던 언니가 자리를 비켜 주었다. 상여를 멘 작은오빠가 하늘을 올려다보았다. 나도 따라 하늘을 올려다보았다. 오늘따라 하늘이 파랬다.

'언니, 잘 가.'

구름 한 점 없는 하늘 위에 활짝 웃는 은자 언니의 얼굴이 보였다.

작은오빠와 다른 언니들이 꽃상여를 메고 공동묘지 쪽으로 향했다.

"아리라앙, 아리라앙. 아라리이오오오."

누군가의 입에서 〈아리랑〉 노래가 나왔다. 모두 따라 불렀다. 서 있던 사람들 모두 눈물을 흘리며 아리랑을 불렀다.

"이런 일이 너무 자주 일어나고 있어."

영미 엄마가 깊은 한숨을 내쉬며 말했다.

"한 많은 양공주들이 죽으면 꽃상여를 태워 애스컴 정문 앞에서 노제를 지내곤 해. 이 노제에는 미군들도 참여하곤 하지."

큰오빠가 두 주먹을 쥐고는 온몸을 부르르 떨었다.

"이래서 나라가 강해져야 하는 겁니다."

큰오빠의 이런 모습을 처음 보았다. 낯설었지만 한편 든든했다.

이야기
공책

엄마는 숟가락 공장에서 월급을 조금 더 주는 천막 공장으로 자리를 옮겼다. 손재주가 좋은 아버지는 철물 공장에 취직을 했다. 큰오빠는 토목과에서 경영학과로 전공을 바꿀 거라고 했다. 강한 나라의 조건은 경제를 살리는 일이라고 하면서 말이다.

미국으로 떠난 작은오빠는 가끔 편지도 보내고 선물도 보낸다. 잘 지내고 있고 공부도 열심히 하고 있다면서 자기가 다니는 학교 사진도 넣어 보냈다.

"우와, 이게 학교 건물이란 말이야?"

엄청나게 큰 건물들과 잔디밭을 보면서 나는 입을 쩍 벌렸다.

땅덩어리가 엄청나게 크다더니 건물도 크고 잔디밭도 크고 모든 게 크구나 생각했다.

아버지는 취직하자마자 오래전에 만든 나무 상자를 선반에서 내렸다. 상자 위 먼지를 닦아내며 아버지가 중얼거렸다.

"이제부터라도 차근차근 돈을 모아 좋은 환경의 집으로 이사를 해야지."

아버지가 첫 월급을 나무상자에 넣으려고 뚜껑을 열었다.

"돈이잖아! 돈이 가득 들었어!"

동생이 놀라 소리쳤다. 나는 읽던 책을 내팽개치고 달려갔다. 진짜였다. 상자 속에는 돈이 가득 들어 있었다. 돈 속에서 편지를 발견한 건 아버지였다. 아버지 손이 부들부들 떨렸다.

"서, 선기야, 네가 읽어 볼래?"

그러자 동생 정기가 편지를 낚아챘다.

"아버지, 내가 읽을래. 나도 잘 읽는단 말이야."

정기가 또박또박 편지를 읽었다. 낭랑한 정기 목소리가 좁은 나무집을 가득 채웠다.

아버지, 이 돈으로 화장실 있고 수도 있는 집으로 이사하세요.

아버지에게 대든 거 정말 죄송했습니다.

\- 둘째 아들 웅기가 -

아버지의 눈에서 닭똥 같은 눈물이 뚝뚝 떨어졌다. 아무리 어려운 일이 있어도 눈물 한 방울 보이지 않던 엄마의 두 눈에서 폭포수처럼 눈물이 쏟아졌다.

아버지는 철도역 바로 앞에 있는 자그마한 땅을 샀다. 돈이 많이 모자라 시간이 오래 걸리더라도 직접 집을 짓기로 했다. 아버지와 엄마, 큰오빠 그리고 나와 동생이 벽돌을 나르고 쌓았다. 아직 완성은 되지 않았지만 있을 건 다 있을 집이다. 그토록 원하는 화장실과 수도도 있을 것이고, 내 친구 영미네처럼 뜰도 있을 것이다. 엄마는 그곳에다 닭도 키우고 토끼도 키울 거라고 했다.

"오동나무도 한 그루 심어야지."

아버지가 중얼거렸다.

"선기 시집갈 때 오동나무로 장롱을 짜 주어야지."

아버지의 말에 나는 화들짝 놀라 그 자리에 우뚝 섰다. 뭔지 모르는 것이 가슴을 꽉 채웠다. 아버지라는 존재가 내 가슴을 꽉 채울 만큼 소중한 것이었음을 느낀 순간이었다.

그때 동생이 톡 나섰다.

"아버지, 나는?"

"우리 정기는 아버지랑 오래오래 산다면서?"

그 말에 정기가 으앙 울음을 터뜨렸고, 우리 가족은 오랜만에 깔깔 웃었다. 아직 집이 완성되려면 멀었다. 이제 겨우 한쪽 벽을 쌓았을 뿐이다.

줄집마을로 돌아오자마자 나는 밤솔산에 올랐다. 내 발밑에 펼쳐진 줄집마을을 둘러보았다. 그중 맨 앞에 있는 1동 줄집. 1호집부터 10호집까지 내가 안 가 본 집이 있었던가? 한 집 한 집마다 추억이 담겨 있고 이야기가 담겨 있다. 기쁜 이야기가 있는가 하면 슬픈 이야기도 있다. 화나는 이야기, 절망적인 이야기가 있는가 하면 희망적이고 웃음 나는 이야기도 있다. 이 모든 이야기들은 모두 내 가슴에 내 머리에 담겨 있다.

나는 멀리 애스컴 쪽을 바라보았다. 아득하게 보이는 회색 건물들, 높다란 담장들. 그리고 옹기종기 모여 있는 새촌마을과 다다구미마을. 그곳에도 여러 가지 이야기가 쌓여 있겠지.

집으로 돌아와 나는 그동안 쓴 이야기 공책을 꺼냈다. 모두 합해서 세 권이다. 느낀 대로 쓴 이야기들이 빼곡하게 적혀 있다.

"나중에 이 이야기들로 책을 만들어야지."

예분 언니가 은자 언니에게 주고, 은자 언니가 내게 준 노란색 금성 라디오에서 한 해를 마감하는 〈석별의 정〉 노래가 흘러나왔다.

오랫동안 사귀었던 정든 내 친구여.
작별이란 웬 말인가, 가야만 하는가.
어디 간들 잊으리오. 두터운 우리 정.
다시 만날 그날 위해 노래를 부르네.

1969년이 저물고 있었다.

이오앤북스 청소년문학 01

오빠는 하우스보이

초판발행 2024년 5월 8일

지은이 안선모

발행인 임영진
책임편집 김원섭
펴낸곳 이오앤북스
출판등록 제 2023-000037호
주 소 [13487] 경기도 성남시 분당구 대왕판교로 645번길 12
경기창조경제혁신센터 7층 42호
대표전화 070-8919-8387 팩 스 031-601-6333
이메일 eonbooks@naver.com
홈페이지 www.eonbooks.co.kr
블로그 blog.naver.com/eonbooks
인스타 @eonbooks

ISBN 979-11-982203-8-7 (44810)
ISBN 979-11-982203-7-0 (세트)